Shiva Nataraja

Der kosmische Tänzer

Shiva Nataraja

Der kosmische Tänzer

Herausgegeben von Johannes Beltz
Mit einem Beitrag von Saskia Kersenboom

museum rietberg

Impressum

Dieser Katalog erscheint anlässlich der Ausstellung «Shiva Nataraja: Der kosmische Tänzer» im Museum Rietberg Zürich (16. November 2008 bis 1. März 2009)

Katalog

Herausgeber: Johannes Beltz
Wissenschaftliche Beratung: Saskia Kersenboom
Übersetzungen: Martina Dervis, London (Englisch / Französisch – Deutsch)
Franziska Meyer, Lenzburg (Italienisch – Deutsch)
Redaktion und Lektorat: Axel Langer, Iris Spalinger und Malcolm Imrie, London (Aufsatz Saskia Kersenboom)
Korrektorat: Dela Hüttner, Zürich
Grafisches Konzept: Karin Widmer und Jacqueline Schöb
Satz: Focus Grafik, Susann Schneider
Karte: Aditya Sharma, mapsofindia.com, New Delhi
Bildbearbeitung: dpi Publishing, Zürich, Susanne Bobzien
Druck: Konkordia GmbH, Bühl
Schriften: Walbaum, Helvetica
Papier: Tatami Natural, 115 gm²

Katalogeinträge

RB: R. Balasubramanian
GB: Giulia Bellentani
JB: Johannes Beltz
SLB: Susan L. Beningson
TRB: T. Richard Blurton
JED: John E. Dawson
JG: John Guy
RH: Regina Höfer
AO: Amina Okada
AP: Adriana Proser
JTH: Jane Thurston-Hoskins
PWG: Paola von Wyss-Giacosa

DVD

Idee und Realisation: Johannes Beltz
Kamera: Pintu Chowdhry
Schnitt: Bernhard Wiessner
Sprecher: Frank Arnold
Produktionsassistenz: Dicky Chowdhry
Wissenschaftliche Beratung: Saskia Kersenboom
Gesang: A. Sambandham Desikar
Ton: Gajanan Fulsunder

Ausstellung

Konzept: Johannes Beltz und Saskia Kersenboom
Projektleitung: Johannes Beltz
Ausstellungsgestaltung: Martin Sollberger
Ausstellungsgrafik: Jacqueline Schöb
Redaktion Ausstellungstexte: Iris Spalinger
Plakatgestaltung: Simone Torelli, Zürich
Montage: Walter Frei und Jean Claude Plattner, Adliswil
Licht: Rainer Wolfsberger
Registrar: Andrea Kuprecht
Finanzen: Valeria Fäh und Heinz Trittibach
Marketing: Christine Ginsberg
Werbung: Monica Stocker
Presse: Katharina Epprecht

ISBN 978-3-907077-38-2

Museum Rietberg Zürich
Gablerstrasse 15
CH-8002 Zürich
www.rietberg.ch

Stadt Zürich
HSBC Guyerzeller

Inhaltsverzeichnis

Dank

Wir danken folgenden Leihgebern: National Museum, Ministry of Tourism and Culture; Government of India, New Delhi; Government Museum, Chennai; The British Museum, London; Asia Society Museum, New York; Rijksmuseum, Amsterdam; Victoria and Albert Museum, London; The Nelson-Atkins Museum of Art, Kansas City, Missouri; Museum für Asiatische Kunst, Kunstsammlung Süd-, Südost- und Zentralasien, Staatliche Museen zu Berlin; Musée des Arts Asiatiques Guimet, Paris; The Royal Collection of Her Majesty Queen Elizabeth, London; Città di Lugano, Museo delle Culture; Susan L. Beningson Collection; John Eskenazi Ltd.; Willy Frei; Marianne und Pidu Russek.

Folgenden Personen sei hier noch für ihre vielfältige Unterstützung und Inspiration gedankt, ohne die die Ausstellung so nicht zustande gekommen wäre: Chitra Narayanan, Botschafterin, Embassy of India, Bern; Ajneesh Kumar, First Secretary, Embassy of India, Bern; R. C. Mishra, Director General, National Museum, New Delhi; Amitava Tripathi, ehemaliger Botschafter, Embassy of India, Bern; Dominique Dreyer, Botschafter, Schweizer Botschaft in Indien, New Delhi; Raffael Gadebusch, Museum für Asiatische Kunst, Kunstsammlung Süd-, Südost- und Zentralasien, Staatliche Museen zu Berlin; Amina Okada, Musée des Arts Asiatiques Guimet; Pauline Lunsingh Scheurleer, Rijksmuseum; Marta Cometti und Günther Giovannoni, Città di Lugano, Museo delle Culture; Robert Owen, The British Museum; Julie Mattson, The Nelson-Atkins Museum of Art; Clare McGowan, Asia Society Museum; Luana Faiazza, Bundesamt für Kultur.

Vorwort

Am 3. Juli 1949 hatten die Stimmberechtigten der Stadt Zürich in einer Wahl die Frage zu beantworten: «Wollt ihr die Villa Wesendonck in ein Museum umbauen, damit die der Stadt als Geschenk versprochene Sammlung von Eduard von der Heydt (1882 – 1964) in Zürich ein definitives Heim bekommt?» Mit Ausnahme der Kommunisten, der Partei der Arbeit, unterstützten alle Parteien das Vorhaben, das Museum Rietberg zu gründen. Mit Argumenten wie «Schulen, Kindergärten, Wohnungen sind jetzt nötig» und «Museen können warten» machten die Kommunisten Opposition. Die Befürworter agierten mit Schlagworten wie: «Mit wenig Geld (100 000 Franken für die Einrichtung und 300 000 Franken für die Renovierung der Villa) kann sich die Stadt Zürich Millionenwerte (die Sammlung von der Heydt) sichern.» Gegen die Thesen der Partei der Arbeit schalteten die Befürworter Inserate, publizierten Zeitungsartikel und vertrieben Abstimmungsbroschüren. Geworben wurde mit dem wirkungsvollsten Kunstwerk der Sammlung von der Heydt: dem tanzenden Shiva. Wie kein anderes Werk der Sammlung war diese Bronze geeignet, die universelle Bedeutung und Grossartigkeit fremdländischer Kunst einem mit dieser Kunst unvertrauten Publikum sichtbar zu machen.

Der tanzende Shiva ist eine Ikone, vergleichbar mit der Vitruv-Zeichnung von Leonardo da Vinci – mit dem in einen Kreis und ein Viereck eingepassten Menschen (vgl. Abb. 16–17). Der Gott Shiva in Menschengestalt ist eingespannt in den Kreis der Flammen und erzeugt formal gesehen eine Komposition von vollendeter Harmonie.

Gegen ein Bild mit solch universeller Ausstrahlung hatten die Kommunisten wenig entgegenzusetzen. Im *Vorwärts* (30. Juni 1949) war zu lesen: «Ein herrliches Flugblatt haben die Befürworter des Museums Rietberg unters Volk gebracht. Die vierarmige Shiva-Figur des Königs der Tänzer prangt auf der Vorderseite. Symbolisch tanzt er auf dem Rücken eines kleinen Menschleins. Dieser kleine Mensch soll wohl den geduldigen Steuerzahler darstellen, der diesen Shiva-Tanz mit einer halben Million bezahlt.» Mit einer knappen Zweidrittelmehrheit wurde die Vorlage gutgeheissen, und 1952 erfolgte die Eröffnung des Museums Rietberg.

Die Bronzefigur des Shiva Nataraja aus der Sammlung von der Heydt ist zum Sinnbild unseres Museums geworden. Die Ausstellung «Shiva Nataraja: Der kosmische Tänzer» stellt unter anderem auch dar, wie sehr Shivas Tanz in der westlichen Welt zu einer Ikone geworden ist. In erster Linie zeigt die Ausstellung und beschreibt dieser Katalog aber die religiöse Bedeutung sowie die ikonografische und künstlerische Vielfalt dieses Gottesbildes in Südindien zur Zeit der Chola-Dynastie (9.–13. Jahrhundert). Gleichzeitig wird erforscht, wie der Shiva-Kult in den Tempeln Südindiens heute fortlebt.

Die in Tamil Nadu von Prof. Dr. Saskia Kersenboom, Professorin für Theaterwissenschaft an der Universität Amsterdam, und Dr. Johannes Beltz, Indien-Kurator des Museums Rietberg, durchgeführte Feldforschung brachte neue Informationen und bis dahin Unbekanntes zutage. Nach der Ausstellung «Ganesha – der Gott mit dem Elefantenkopf» im Haus zum Kiel (2003) ist dies bereits die zweite Ausstellung von Johannes Beltz, in der eine Gottheit des hinduistischen Pantheons in einer eigenen Schau umfassend beleuchtet wird. Das Besondere und die Originalität der Ausstellung liegen zum einen in den exquisiten und bedeutenden Kunstwerken aus Museen in Indien, den USA, England, Frankreich, Deutschland und der Schweiz, zum anderen in den faszinierenden Bedeutungszusammenhängen, die sich dem Besucher erschliessen sollen.

Mein erster Dank geht an alle Leihgeber. Besonders erwähnen möchte ich Dr. R. R. S. Chauhan, Director Exhibitions and Public Relations, National Museum New Delhi, der es ermöglicht hat, dass Kunstwerke aus indischen Sammlungen gezeigt werden können. Ganz besonders freut mich, dass unser treuer, langjähriger Sponsor, die HSBC Guyerzeller Bank AG, erneut und zum ersten Mal in unserem Erweiterungsbau eine Ausstellung grosszügig unterstützt. Ohne dieses Engagement hätten wir diese Ausstellung nicht realisieren können. Unser Dank geht an Dr. Peter Widmer, Präsident des Verwaltungsrates, und Dr. Heinrich Baumann, Vorsitzender der Geschäftsleitung von HSBC Guyerzeller.

Ein besonderer Dank gilt den Mitarbeiterinnen der Schweizer Kulturstiftung Pro Helvetia in New Delhi: Frau Chandrika Grover, Pooja Varma und Sangeeta Rana waren eine unabdingbare Hilfe und Unterstützung bei den Leihverhandlungen mit dem National Museum in New Delhi. Schliesslich möchte ich allen, die an der Realisierung dieser Ausstellung und dieses Katalogs mitgeholfen haben, meinen herzlichen Dank aussprechen.

Dr. Albert Lutz, Direktor

Pakistan
China
Nepal
Bhutan
Bangladesh
Myanmar
Indien
Tamil Nadu
Sri Lanka
Indischer Ozean

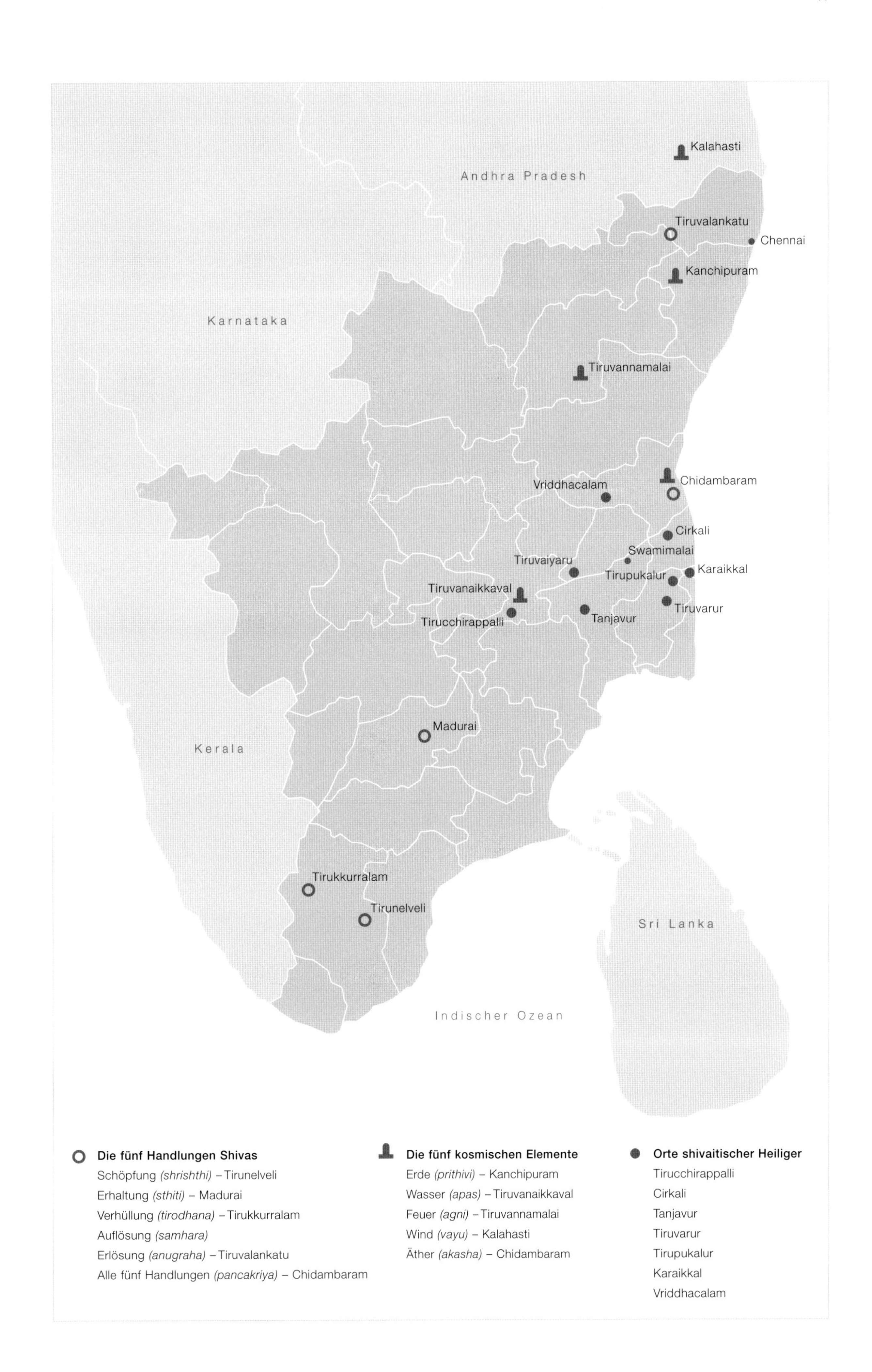
Kalahasti
Andhra Pradesh
Tiruvalankatu
Chennai
Kanchipuram
Karnataka
Tiruvannamalai
Vriddhacalam
Chidambaram
Cirkali
Swamimalai
Tiruvaiyaru
Tirupukalur
Karaikkal
Tiruvanaikkaval
Tiruvarur
Tanjavur
Tirucchirappalli
Madurai
Kerala
Tirukkurralam
Tirunelveli
Sri Lanka
Indischer Ozean
Die fünf Handlungen Shivas
Schöpfung (shrishthi) – Tirunelveli
Erhaltung (sthiti) – Madurai
Verhüllung (tirodhana) – Tirukkurralam
Auflösung (samhara)
Erlösung (anugraha) – Tiruvalankatu
Alle fünf Handlungen (pancakriya) – Chidambaram
Die fünf kosmischen Elemente
Erde (prithivi) – Kanchipuram
Wasser (apas) – Tiruvanaikkaval
Feuer (agni) – Tiruvannamalai
Wind (vayu) – Kalahasti
Äther (akasha) – Chidambaram
Orte shivaitischer Heiliger
Tirucchirappalli
Cirkali
Tanjavur
Tiruvarur
Tirupukalur
Karaikkal
Vriddhacalam

Einleitung

Johannes Beltz

1

2

3

Shiva ist einer der wichtigsten und vielleicht auch vielfältigsten Götter im Hinduismus.[1] In seiner bekanntesten Form zeigt er sich als «König des Tanzes» (Skr. *nataraja*). Die folgende Einleitung stellt zunächst den tanzenden Gott aus einer historischen Perspektive vor. Es gilt zu fragen, wo seine Ursprünge zu suchen sind und welche Bedeutungen er innehatte. In einem nächsten Schritt wird nachgezeichnet, wie und warum der tanzende Shiva zu einem der bekanntesten Symbole im Hinduismus geworden ist. Die Einleitung soll dabei deutlich machen, dass sich die Bedeutung der Gottheit im Laufe der Jahrhunderte stark verändert hat. Damit leitet sie auch zum Aufsatz von Saskia Kersenboom «Dort, wo Shiva tanzt» (siehe S. 38 – 78) über, der den Nataraja in seinem kulturellen Kontext – in den Tempelriten, Kosmologien und Mythen – in Tamil Nadu beschreibt.

Ursprünge

Shiva, der freundliche, Glück verheissende und wohltätige Gott – so lautet die wörtliche Übersetzung seines Namens –, erscheint in vielen Formen: Er ist der umherwandernde Asket, der Gnadenvolle, der Sieger über drei Städte, der Schöne, der Dämonenbezwinger, der Lehrer, der Grosse Gott oder einfach nur der Herr. In der Kombination mit den Göttern Brahma und Vishnu kommt ihm eine spezielle kosmologische Bedeutung zu: Während die Schöpfung der Welt Brahma und ihre Erhaltung Vishnu zugeschrieben werden, steht Shiva für die Zerstörung der Welt – ausserhalb dieser Dreiergruppe verkörpert er allein alle drei Momente. Shiva ist ein Gott der Gegensätze: Bildet er einerseits mit Frau und Kind eine Familie, wandert er andererseits als heimatloser Einsiedler umher. Er ist der Gütige und der Schreckliche zugleich, ist Liebhaber und Asket. Er verkörpert zum einen Zerstörung und Tod, zum anderen gewährt er die Erlösung.

Die Ursprünge Shivas liegen im Dunkeln. Man vermutet, dass er schon in der Industal-Zivilisation verehrt wurde. Belege hierfür sind Tonsiegel mit Darstellungen einer Gottheit, die an Ausgrabungsstätten in Indien und Pakistan, Mohenjodaro und Harappa gefunden wurden und bis ins 3. Jahrtausend v. Chr. datiert werden können. Da die Siegel jedoch Inschriften tragen, die man bis heute nicht entziffern kann, steht nicht zweifelsfrei fest, ob es sich bei dem abgebildeten Gott wirklich um Shiva handelt.[2] Weitere Hinweise liefern die heiligen Veden, die in der Zeit von un-

1 Linga, Nordindien, Gupta-Zeit, 5. Jahrhundert, Sandstein, Museum Rietberg Zürich, RVI 111, Geschenk Eduard von der Heydt.

2 Gipskopie eines Siegelamuletts mit gehörnter Gottheit und Schriftzeichen. Das Original misst 2,65 x 2,7 cm und befindet sich im Museum von Islamabad (NMP 50.296), es wurde bei den Ausgrabungen in Mohendjo-Daro gefunden.

3 Linga, Ekambaeshvara-Tempel in Kanchipuram (Januar 2006).

4 5 6

gefähr 1200 bis um 500 v. Chr. entstanden sind. Aber auch hier ist die Situation ähnlich widersprüchlich, denn der Name Shiva erscheint nicht in den Texten.[3] Dafür tritt ein Gott namens Rudra («der Schreckliche») sehr prominent auf. Da auch Shiva das Epitheton «der Schreckliche» besitzt, vermutet man, dass Rudra und Shiva identisch sind, dass es sich also nur um zwei verschiedene Namen für ein und denselben Gott handelt.[4] Historisch gesichert ist die Verehrung Shivas erst seit dem Anfang des 1. Jahrhunderts v. Chr. Aus dieser Zeit stammen zahlreiche Münzen aus dem Nordwesten Indiens, auf denen eine Gottheit abgebildet ist, die durch Inschriften eindeutig als Shiva identifiziert wird.[5]

Bilder des Gottes

Shiva kennt viele Erscheinungen. In seiner menschlichen Form hat er meist vier Arme, seine Haut ist weiss beziehungsweise grau, da sie mit Asche bestäubt ist. Sein Hals ist blau, weil er einst das Gift des Ur-Meeres trank und damit das Universum rettete.[6] Auf seiner Stirn befinden sich ein drittes Auge und drei waagerechte Aschestriche. Er trägt eine Mondsichel im Haar, und oft schlingt sich eine Schlange um seinen Oberkörper. Mal fliesst Wasser aus seinen Locken, mal taucht aus ihnen die Flussgöttin Ganga auf, die Shiva, den Mythen zufolge, einst mit seinen Haaren auffing, als sie vom Himmel auf die Erde herabprallte und diese zu zerstören drohte. Statt hart auf der Erde aufzuschlagen, rann sie nun sanft auf die Erde herab. Die meisten Darstellungen zeigen Shiva mit seinem Dreizack (Skr. *trishula*) und der kleinen Trommel (Skr. *damaru*). Wenn Shiva als Asket gezeigt wird, trägt er ein Tigerfell als Lendenschurz. Seine Haare lässt er wachsen, oft sind die langen Haarlocken zu einer Art Krone hochgesteckt. Zu Shiva gehören sein Reittier (Skr. *vahana*), der Stier Nandi, seine Partnerin, die Göttin Parvati, und seine Söhne Murukan und Ganesha.[7]

Eigentlich ist Shiva in seiner Allmacht und Unendlichkeit nicht darstellbar. Seinem wahren Wesen kommt deshalb nur eine abstrakte Abbildung nahe, das Linga.[8] Die Reduktion auf dieses Symbol gilt als die adäquateste Art und Weise, die Gottheit zu repräsentieren, denn sie ist anikonisch (Skr. *arupa*, «formlos») (Siehe Kat. 11).[9]

Das Linga ist das wichtigste Ritualobjekt in einem shivaitischen Tempel.[10] Es befindet sich im Allerheiligsten und wird dort verehrt. Als «Wurzel» (Skr. *mula*) des Tempels kann es nicht bewegt oder entfernt werden. Lingas gelten oft als «aus sich selbst heraus entstanden», also nicht von Menschenhand erschaffen: In Amarnath, einem der wichtigsten shivaitischen Pilgerorte Indiens, befindet sich in einer Höhle im Himalaya eine Eissäule, die als Linga verehrt wird, im südindischen Tiruvannamalai ist der Berg selbst das Linga.[11]

7

8

9

In den meisten Fällen steht das Linga jedoch nicht für sich alleine, sondern wächst aus der *yoni*[12] heraus. So, wie das Linga für das männliche Prinzip steht, symbolisiert die schalenförmige Yoni das weiblich Prinzip, zusammen versinnbildlichen Linga und Yoni das Ineinanderfliessen von Mikro- und Makrokosmos, von menschlichen Sinnen und Naturelementen, von rituellen Handlungen und kosmischem Geschehen.

Shiva als König des Tanzes

Die Ausstellung ist Shiva in seiner anthropomorphen Erscheinung als König des Tanzes gewidmet. Die Genese dieser Figur wirft nach wie vor eine Reihe von Problemen auf, die nicht schlüssig zu lösen sind.[13] Einige Autoren wie Zvelebil argumentieren, dass der tanzende Shiva seinen Ursprung im Süden habe, andere favorisieren Nordindien.[14] Die archäologischen Belege lassen keine eindeutige Antwort zu: Eine der frühesten erhaltenen Abbildungen des tanzenden Shiva ist ein Torbogen aus Sakor (im heutigen Bundesstaat Madhya Pradesh), der sich in die Gupta-Periode (5. Jahrhundert) datieren lässt.[15] Doch nur knapp einhundert Jahre später, also ab dem 6. Jahrhundert, sind Nataraja-Skulpturen auch in südindischen Felsentempeln nachweisbar; hier sind vor allem die Tempel von Badami und Aihole (Karnataka) sowie von Elephanta und Ellora (Maharashtra) zu nennen.[16] Spätestens im 8. Jahrhundert findet man überall in Indien Darstellungen des tanzenden Shiva.

Der tanzende Shiva hat in Indien viele verschiedene Formen angenommen, die sich in Ikonografie und Stil deutlich voneinander unterscheiden. Die Form, die uns in dieser Ausstellung interessiert, ist jene, die in Südindien beheimatet ist.[17]

Im Mittelpunkt der Ausstellung stehen keine Steinskulpturen Shivas, sondern Figuren aus Metall, die für Prozessionen gegossen wurden. Es sind sogenannte Fest- beziehungsweise Prozessionsbilder (Skr. *utsava murti*). In Bezug auf das Alter legen neueste metallurgische Untersuchungen nahe, dass sich die ältesten Figuren ins 7. Jahrhundert, in die Zeit der Pallva-Könige, datieren lassen; allerdings haben sich nur wenig Objekte aus dieser Zeit erhalten. Die Sachlage ändert sich, wenn man die Bronzen aus der Regierungszeitzeit der Chola-Könige, also zwischen dem 9. und 13. Jahrhundert, anschaut[18]. Aus dieser Zeit sind nicht nur viele Bronzen auf uns gekommen; ihre vergleichsweise grosse Zahl belegt auch, wie weit dieses Kultbild verbreitet war. Deshalb gehen die meisten Kunsthistoriker heute davon aus, dass die spätere Popularität des tanzen-

4–6 Prozession des Nataraja in Chidambaram (Januar 2007).
7–9 Prozession des Nataraja in Cirkali (Januar 2007).

10

11

12

den Shiva in Südindien ihre Wurzeln in dieser Zeit haben muss. Einen wichtigen Beleg für diese These bilden die Chola-Tempel mit ihren grossen, standardisierten Steinskulpturen des tanzenden Shiva in den Nischen der Aussenmauern.[19] Man nimmt an, dass um das Jahr 1000 herum der Nataraja bereits zum Herrschaftssymbol der Cholas geworden war. Er verkörperte Heroentum, Sieg und Unterwerfung, Aggression und Energie, letztendlich das ideale Abbild imperialer Macht.[20]

Chidambaram: Bühne Shivas und Pilgerort

Für die Verehrung des tanzenden Shiva viel wichtiger als die Chola-Hauptstadt Tanjavur sollte in Tamil Nadu ein anderer Ort werden: Chidambaram. Es wird gesagt, dass Shiva dort seinen Tanz, den er noch heute in der goldenen Tempelhalle tanze, zum ersten Mal vorgeführt habe. Obwohl die diesbezüglichen Mythen an anderer Stelle ausführlich diskutiert werden, soll hier kurz vorgegriffen werden.[21] Zu Chidambaram gehören zwei wichtige Ursprungslegenden:

Die erste Geschichte erzählt, wie Shiva seinen Tanz vor ungläubigen, vedischen Sehern (Skr. *rishi*) aufführte.[22] Shiva kam als nackter Bettler zu ihnen, um sie für ihre Verfehlungen und Abtrünnigkeit zu bestrafen. Dazu brachte er Vishnu in Form der wunderschönen Mohini mit sich. Während Mohini in der Folge die Weisen verführte, bezirzte Shiva ihre Ehefrauen. Als die Weisen bemerkten, dass Shiva sich über sie lustig machte, versuchten sie, ihn zu vernichten. Sie taten das zunächst mithilfe eines Tigers. Shiva tötete das Tier jedoch und band sich dessen Fell als Lendenschurz um. Auch die Angriffe einer Schlange und eines Dämons wehrte Shiva erfolgreich ab. Daraufhin begann Shiva, in wilder Freude zu tanzen. Überwältigt von seiner Vorführung, akzeptierten die Seher Shivas Allmacht. Von nun an verehrten sie voller Ehrfurcht sein Linga.[23] Die zweite Geschichte wiederum berichtet, dass er die lokale Göttin Tillai Amman herausforderte und sie in einem Wettkampf besiegte.[24]

Beide Geschichten zeugen von einem Wettstreit, von einem Kampf um die religiöse Hegemonie über den Ort. So triumphierte Shiva zum einen über abtrünnige Weise, die sich schliesslich zu ihm bekannten. Zum anderen besiegte er seine Rivalin Kali, die die Gestalt einer lokalen Göttin angenommen hatte. Die Göttin wurde aus dem Tempelkomplex in den Norden der Stadt verbannt, wo sie noch heute einen eigenen Schrein besitzt. In beiden Mythen wird Shiva zum siegreichen Heroen. Mit seinem Tanz bewies er zudem seine Überlegenheit über die anderen brahmanischen Gottheiten, denn Chidambaram war schon sehr früh ein heiliger Ort, an dem neben Shiva ursprünglich auch andere Götter verehrt wurden.[25]

Diese Geschichten sind jedoch mehr als nur Legenden. Sie erzählen auch von historischen Tatsachen, denn sie schildern in überhöhter Form den Konflikt zwischen dem aus dem Norden

13

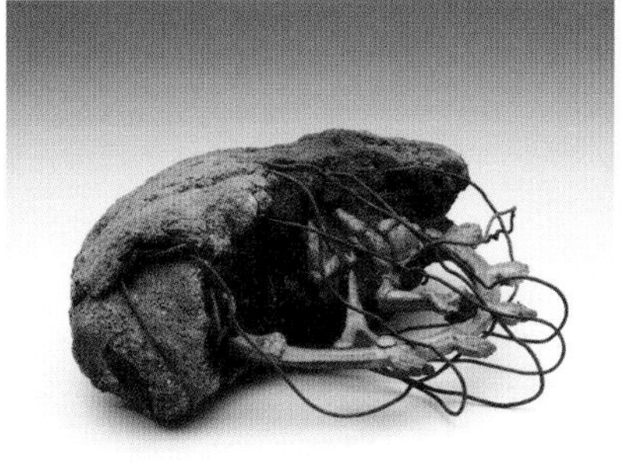

14

15

kommenden Glauben an brahmanische Gottheiten und den lokal verwurzelten Kulten. Shivas Bekehrung der Weisen und die Unterwerfung der Göttin stehen somit für den Sieg der grossen Tradition über die kleine, lokale Überlieferung. Oder anders ausgedrückt: Der brahmanische Hinduismus mit seiner heiligen Sprache Sanskrit verleibte sich im Laufe der Zeit überall in Indien die kleinen, lokalen und regionalen Traditionen ein.[26] Dies bezeugen im Übrigen auch die Priester von Chidambaram, die bis heute von sich sagen, dass sie aus dem Norden eingewanderte Brahmanen seien. Diese Art der kulturellen Vereinnahmung und Angleichung ist ein in Indien typisches Phänomen und wird von Ethnologen und Historikern als *Sanskritisierung* bezeichnet.

Chidambaram entwickelte sich von einem kleinen Heiligtum zu einem ökonomischen, religiösen und politischen Zentrum, das vom Herrscherhaus der Cholas finanziert und militärisch geschützt wurde.[27] Im 10. Jahrhundert avancierte es zum zentralen Heiligtum des Shiviaismus in Südindien, zu einem Pilgerort von überregionaler Bedeutung.[28]

Bronzeguss: Kurze Einführung ins Werkverfahren

Da alle in der Ausstellung gezeigten Metallfiguren im Wachsausschmelzverfahren hergestellt wurden, sei hier ein kleiner Exkurs zum Herstellungsverfahren erlaubt. Dabei handelt es sich um eine weltweit verbreitete Standardtechnik, die bis heute Anwendung findet. Beschrieben wurde diese Technik bereits in den alten in Sanskrit verfassten kunstwissenschaftlichen Lehrbüchern wie den *Shilpashastras*, auf die sich die Giesser in Tamil Nadu noch immer berufen.[29]

Das Verfahren ist einfach zu erklären: Zunächst formt der Meister eine Figur aus einer Mischung aus hartem Bienenwachs und dem Harz des *Shal*-Baumes oder – was immer häufiger vorkommt – Paraffin. Die Mischung lässt sich, wenn sie leicht erwärmt wurde, gut modellieren. Alle Teile der Skulptur wie Torso, Hände, Beine und die von der Gottheit präsentierten Attribute werden einzeln geformt und anschliessend zusammengefügt. Schliesslich werden feinere Details des Schmucks und der Kleidungsstücke mit einem hölzernen oder metallenen Spachtel herausgearbeitet.

10 Die Figur wird aus dem Wachs-Paraffin-Gemisch geformt (Werkstatt in Swamimalai, Januar 2006).
11 Wachsmodell einer Ganesha-Skulptur (Werkstatt von Mohan Sthapati, Chennai, frühe 1990er-Jahre).
12 Dasselbe Wachsmodell wie in Abb. 11 im gussfertigen Zustand: Das Modell ist mit einer dicken Lehmschicht überformt, die durch Metalldrähte zusammengehalten wird.
13 Die Feuerstelle wird für den Guss vorbereitet (Werkstatt in Swamimalai).
14 Nach dem Guss: Die Figur des tanzenden Shiva mit seinem Flammenkranz ist deutlich in der teilweise aufgebrochenen Tonform zu erkennen (Werkstatt von Mohan Sthapati).
15 Die gegossene Figur wird ziseliert (Werkstatt in Swamimalai).

Der Meister folgt beim Formen des Kultbildes (Skr. *murti*) festgelegten Kompositionsprinzipien. Dabei bedient er sich eines genau auf die Grösse der zu formenden Figur zugeschnittenen Palmblatts, auf dem die idealen Proportionen markiert sind. Diese Markierungen sind übrigens nicht das Resultat komplizierter Berechnungen, sondern entstehen durch eine tradierte, streng geheim gehaltene Art des Faltens.

Sobald das Wachsmodell fertig ist, wird es mit einem Tonbrei überzogen. Daraufhin folgen weitere Tonschichten. Zum Schluss umwickeln die Giesser das Lehmgebilde mit Drähten. Diese sollen verhindern, dass die Tonform während des langsamen Trocknens an einem schattigen Ort Risse bekommt und unbrauchbar wird.

Nun folgt der nächste Arbeitschritt, das Herausschmelzen des Wachses. Der Giesser härtet den Lehm im offenen Feuer, dabei schmilzt auch das Wachs und fliesst durch die Giesslöcher ab. Das Ergebnis ist eine hohle, gebrannte Tonform. Jetzt kann der eigentliche Prozess des Giessens erfolgen.

Die alten Lehrbücher schreiben vor, dass Legierungen aus fünf oder acht Metallen (Skr. *panca loha* oder *ashta dhatu*) bestehen müssen. Die indische Wissenschaftlerin Sharada Srinivasan hat die Legierungen einiger Metallskulpturen aus der Chola-Periode untersucht. Dabei fand sie neben Kupfer, dessen Anteil zwischen 70 und 90 Prozent schwankte, vor allem Zink, Blei, Zinn und Eisen, aber auch Spuren von Nickel, Arsen, Wismut, Antimon, Schwefel, Kobalt, Silber und Gold.[30] Srinivasan vermutet, dass die Gold- und Silberspuren vor allem auf Wunsch der Auftraggeber zurückgehen, die sich eine bessere rituelle Wirkung erhofften.

Bis heute ist in der deutschen Literatur der Begriff «Bronze» üblich, mit dem sowohl das Material, eine Legierung aus Kupfer und Zinn, als auch die Metallfiguren selbst bezeichnet werden. Wie Srinivasans Untersuchung jedoch zeigt, wurde das Kupfer nicht nur mit Zinn, sondern auch mit anderen Metallen wie Zink, Blei oder Eisen vermengt. Da es sich bei Kupferlegierungen ohne Zinn streng genommen nicht um Bronzen handelt, und da eine exakte Benennung erst nach einer metallurgischen Untersuchung möglich ist, ist es besser, ganz allgemein von Kupferlegierung zu sprechen.

Die Bestandteile der Legierung setzen sich je nach Budget des Auftraggebers zusammen. Neben reinen Metallen rezyklieren die Giesser auch Metallabfälle, sodass Badezimmerarmaturen oder Maschinenteile ihren Weg genauso in den Schmelztiegel finden wie teures Zinn.

Nachdem die getrocknete Tonform in einer offenen Feuerstelle zunächst erhitzt und zum Glühen gebracht wurde, wird sie am Giessplatz in Position gebracht und mit Erde bedeckt. Der Giesser füllt das geschmolzene Metall in die Hohlräume und lässt Form und Figur langsam abkühlen. Dann werden die Metallschnüre zerschnitten und die Tonform zerschlagen (weshalb dieses Verfahren auch «Guss in der verlorenen Form» genannt wird). Schliesslich wird die rohe Figur nachbearbeitet, die Oberfläche mit Feilen und Hämmern geglättet und poliert, die schmückenden Einzelheiten herausgearbeitet.

Viele Werkstätten fertigen noch heute Prozessionsbilder im alten Stil an. Oft sind es sehr kleine Familienbetriebe. Berühmt sind vor allem die Giessereien von Swamimalai, einem Ort im Distrikt Tanjavur, der am nördlichen Ufer des Kaveri-Flusses liegt. Schon seit Jahrhunderten sind dort die Sthapathys tätig. Den Erzählungen nach standen sie schon im Dienst des berühmten Königs Rajaraja I. von Tanjavur und halfen bei der Ausschmückung des grossen Brihadeshwara-Tempels mit. Das Familienunternehmen wird heute von Devasenapathy Sthapathy und seinen drei Söhnen

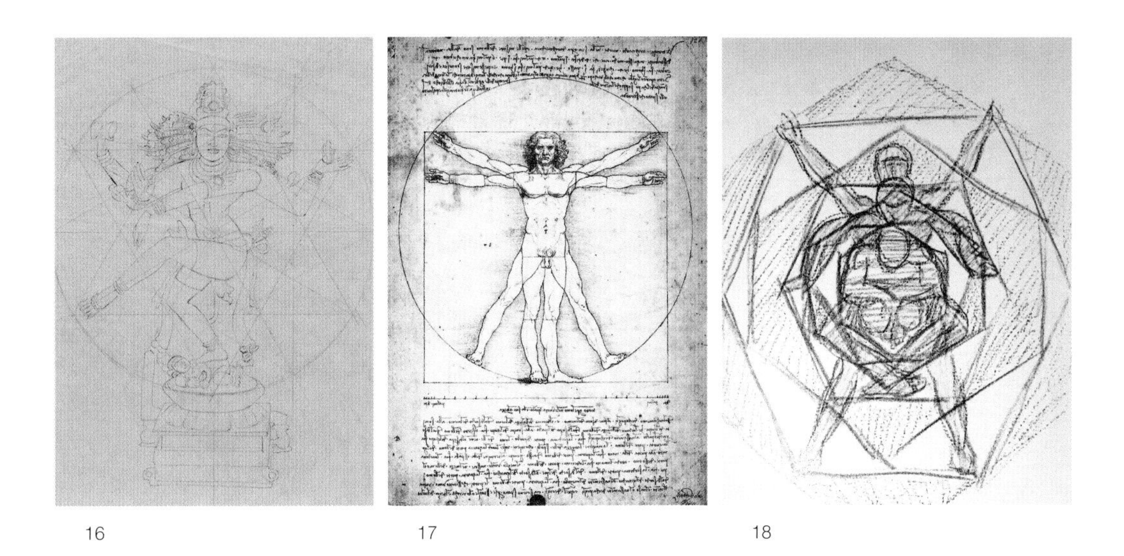

16 17 18

Radhakrishna, Shrikanda und Swaminatha geleitet. Sie alle wurden mit Preisen ausgezeichnet und zählen zu Indiens Berühmtheiten.[51] Wenn sich bis heute auch an der Technik nicht viel geändert hat, so sind doch die Auftraggeber andere geworden. Anstelle der Könige sind wohlhabende Kaufleute aus der Diaspora getreten, die eine grosse Zahl von Figuren für ihre Tempelgründungen in Europa und Nordamerika bestellen.[52]

Die Ikonografie des Nataraja und ihre (Be-)Deutungen

Die in der Ausstellung versammelten Prozessionsbilder zeigen Shiva in einer stark standardisierten Form. Als Nataraja tanzt er inmitten eines Flammenkreises. Die Gottheit drückt mit dem Fuss, das Bein leicht gebeugt, den Dämon Apasmara, der eine Schlange in den Händen hält, zu Boden. Seine Haltung mit erhobenem Bein wird im Sanskrit als *bhujangatrasita* bezeichnet, «erschrocken von einer Schlange».

Shiva ist vierarmig. In seiner rechten oberen Hand hält er eine Trommel, mit seiner vorgestreckten unteren Rechten gewährt er Schutz (Skr. *abhaya mudra*). Während aus der erhobenen linken Hand eine Flamme emporlodert, weist er mit der linken unteren Hand auf seinen erhobenen Fuss. Im flatternden Haar ist die Flussgöttin Ganga zu erkennen, die ihre Hände in ehrerbietiger Haltung aneinandergelegt hat. Die Wellen der Energie, die Shiva in die Welt entsendet, scheinen sich in den Flammen fortzusetzen. Obwohl seine Gestalt in Bewegung ist, scheint sein Antlitz voller Ruhe zu sein, erhaben über jedes Zeitgeschehen. Dieser Tanz Shivas drückt die Glückseligkeit aus (Skr. *ananda tandava*); in ihm offenbaren sich zugleich Freude und Eifer, Zorn und Heftigkeit.

Shivas Tanz ist erregt und wild, voller Leidenschaft und Begierde, voller Gefahr, Zerstörung und Magie: Shiva bestimmt den Rhythmus des Lebens und der Zeit. Mit Asche beschmiert, tanzt er auf dem Kremationsplatz, lacht und weint, umgeben von seinen Kobolden, geschmückt mit Knochen Verstorbener.[53] Zorn, Ärger, und Ekstase, nicht Sanftmut zeichnen ihn aus. Als König des Tanzes besitzt Shiva unermessliche Energien, mit denen er Werden, Sein und Vergehen der gesamten Schöpfung bestimmt.

Es gibt wohl kaum jemanden, der sich seiner Wirkung entziehen kann. Die Komposition scheint perfekt: Die Figur ist voller Energie, und doch ruht sie in sich, sie nimmt alle Bewegun-

16 Alice Boner, undatierte Kompositionszeichnung einer Bronze des Shiva Nataraja.
17 Leonardo da Vinci, Proportionsstudie nach Vitruv, um 1485/90.
18 Rudolf von Laban, Bewegungsphasen, um 1916.

19

gen in sich auf, um sie dann wieder abzugeben. Dies wird vor allem in der Haltung der Arme und Beine spürbar. Die mit dem Museum Rietberg auf vielfältige Art verbundene Alice Boner widmete dem tanzenden Shiva einen wichtigen Aufsatz, in dem sie die unterschiedlichen Formen, in denen die Gottheit dargestellt wird, zu deuten versuchte. Sie hatte beobachtet, dass die Abbildungen des Nataraja einem strengen geometrischen Kompositionsschema folgen. Im Zentrum des Kreises liegt der Ausgangspunkt aller Bewegungen.[34] Von einem Ruhepunkt heraus bewegen sich Arme, Beine, Haare und die Schärpe fächerartig weg. Während das Linga ihrer Ansicht nach das Wesen Shivas abbildet, demonstriert der Tänzer sein Wirken: Der Kosmos kommt im Nabel des tanzenden Shiva zusammen; wie ein Sog wirken die Zentripetalkräfte. Shiva zieht alles in sich – in den Ursprung der Schöpfung – zurück. Im Tanz entfaltet Shiva seine Allmacht, er ist der Motor einer ständigen Veränderung. Wie beim Aus- und Einatmen strömt seine Schöpfung zunächst in ihn hinein, doch mit der nächsten Bewegung auch wieder heraus. Der Nabel ist der Ruhepunkt. Aus ihm dringen Shivas Kräfte nach aussen, in ihn kehrt alles wieder zurück. Shiva ist der Ursprung, das Zentrum des kosmischen Spiels. Sein Tanz ist nicht zweckbedingt, sondern dient der spontanen Selbstentfaltung.[35]

Ähnlich den Gründungsmythen von Chidambaram, die wir auf ihren historischen Gehalt hin geprüft haben, könnte man auch fragen, ob die Ikonografie des Nataraja nicht mehr ist als der Ausdruck spiritueller Erkenntnis, ob die Figur am Ende nicht auch Sinnbild ist für die weltlichen Ambitionen der Chola-Fürsten. Zu diesem Schluss gelangte zumindest die Kunsthistorikerin Padma Kaimal, die die radial nach aussen strebende Figur als Zeichen für die territoriale Erweiterung der Chola-Könige interpretierte und in der Figur des Nataraja letztlich deren Herrschaftsanspruch verkörpert sieht.[36]

Massgeblich beeinflusst hat unser Bild des tanzenden Shiva jedoch eine andere Interpretation, der gemäss die tanzende Figur die fünf wichtigsten Handlungen des Gottes verkörpert: Erstens zeigt sich Shiva als Schöpfer des Universums, wobei sich die Schöpfung zum Klang der Trommel vollzieht. Zweitens ist er der Erhalter des Universums, was er mit seiner erhobenen, schützenden Hand bezeugt. Die Flamme auf seiner Linken symbolisiert drittens die Zerstörung. Viertens bannt Shiva die Unwissenheit durch seinen Fuss, der einen Dämon unterwirft. Fünftens versinnbildlicht sein linkes erhobenes Bein die geistige Befreiung von der Illusion.[37]

Zusammenfassend lässt sich also sagen, dass dem tanzenden Shiva eine Reihe von ganz unterschiedlichen Bedeutungen zugeschrieben werden. Er war ein wilder Tänzer, mit Tod und Zerstörung verbunden, Herrschaftszeichen der Chola-Könige und Abbild von Shivas kosmischen Aktivitäten.

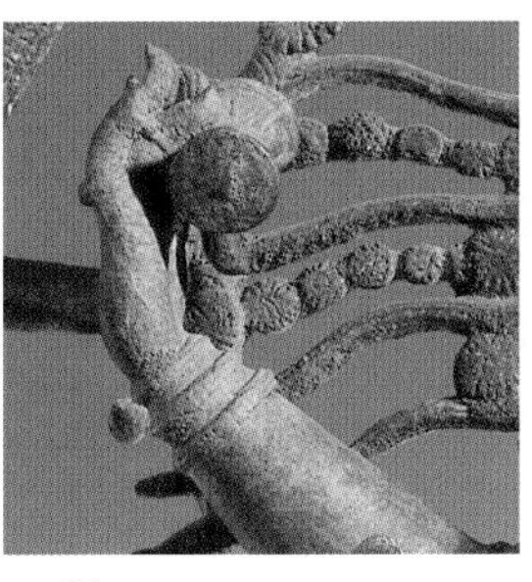
20

21

22

23

24

Die Geburt eines Symbols

Der tanzende Shiva gehört neben dem Kreuz, dem Davidstern und der Mondsichel zu den bekanntesten religiösen Symbolen.[38] Der Nataraja ist im Internet allgegenwärtig, sein Bild ziert Andachtsbilder, Poster, Webeprospekte von Reiseveranstaltern und diverse Buchtitel.[39] Dies wirft die Frage auf, warum neben dem Om-Zeichen gerade diese Figur zu einer Ikone des Hinduismus wurde.

Die Fixierung auf den tanzenden Shiva erfolgte erst in den letzten hundert Jahren. Dahinter steht ein intensiver kultureller Austausch zwischen Europa und Indien. Interessanterweise haben die frühen Reiseberichte der Missionare noch keinen grossen Wert auf die Darstellung des Nataraja gelegt.[40] Bartholomäus Ziegenbalg beispielsweise, der sich durch eine differenzierte Beschreibung der südindischen Götter auszeichnet, die er in seiner 1713 verfassten Schrift *Genealogie der Malabarischen Götter* niederlegte, stellt den tanzenden Shiva (von ihm «Tschidambareschurer» genannt, also «Herr von Chidambaram») zwar in seinem unmittelbaren rituellen Kontext vor, räumt ihm aber keine grössere Bedeutung ein.[41] Auch Abbé Dubois hebt den tanzenden Shiva in seinen *Institutions et Cérémonies des Peuples de l'Inde* von 1825 nicht hervor; für ihn handelt es sich lediglich um eine der vielen möglichen Formen, in denen der Grosse Gott dargestellt ist.[42]

Die Popularität des tanzenden Shiva geht auf die romantische Verklärung des Orients im Westen zurück. Eine Bewunderung für das mystische, geheimnisvolle, exotische Indien begeisterte Philosophen, Künstler wie Literaten. In Indien gingen die entscheidenden Impulse von dem Kunsthistoriker Ananda Kentish Coomaraswamy aus. Coomaraswamy wurde 1877 in Colombo, im heutigen Sri Lanka, als Sohn eines tamilischen Gelehrten und dessen englischer Ehefrau geboren und starb 1947 in Needham, Massachusetts, USA. Nach dem Tod seines Vaters kehrte seine Mutter mit dem erst zweijährigen Ananda nach England zurück. Nach dem Abschluss seiner Studien in London und seiner Vermählung mit der englischen Fotografin Ethel Mary Partridge kehrte er 1902 nach Sri Lanka zurück, wo er begann, sich für indische Kunst zu interessieren. 1916 lernte Coomaraswamy Dr. Denman W. Ross kennen, einen mächtigen Gönner des Bostoner Museum of Fine Arts. Ross kaufte nicht nur Coomaraswamys Sammlung indischer Kunst, sondern unterstützte auch dessen Kandidatur für eine neue Kuratorenstelle am Museum. Ein Jahr darauf ging Coomaraswamy mit seiner zweiten Frau, einer englischen Sängerin mit Künstlernamen

19 Undatierte Porträtaufnahme von Ananda Coomaraswamy mit seiner Frau, der Tänzerin Stella Bloch.

20–24 Detailaufnahme des tanzenden Shiva. Von links nach rechts: Handtrommel, Flamme, «Habe-keine-Furcht»-Geste, der Zwerg Mulayaka, die Göttin Ganga (siehe auch Kat. 1).

Ratan Devi, nach Boston und wurde der erste Kurator für indische Kunst im Museum of Fine Arts. Coomaraswamy verfasste im Laufe der Zeit mehrere einflussreiche Aufsätze zu unterschiedlichen Themen der indischen Kunst und Religionsgeschichte.[43] Mit seinen Arbeiten übte er einen nachhaltigen Einfluss auf Generationen von Akademikern und Kunstliebhabern aus.

Sein wohl wichtigster Aufsatz «The Dance of Shiva» erschien 1918 erstmals in einer gleichnamigen Aufsatzsammlung und hat seither unzählige Nachauflagen erlebt. In seiner Analyse feiert Coomaraswamy den tanzenden Shiva als das aussagekräftigste indische Kunstwerk überhaupt, denn in seinen Augen verkörpert die Figur das Wesen der indischen Kultur auf beispielhafte Weise. Dabei sieht Coomaraswamy in Shiva nicht das rein hinduistische Symbol, sondern ein Bild für göttliches Wirken schlechthin. So heisst es: «Es ist nicht verwunderlich, dass die Figur des Natarajas die Aufmerksamkeit so vieler Generationen erlangte. [...] Wir sind alle noch Verehrer des Natarajas. Denn der Nataraja ist, wie schon gesagt, die klarste Abbildung vom Handeln Gottes in Kunst und Religion.»[44] Kein heutiger Künstler, so gross er auch sein möge, könne laut Coomaraswamy ein wahreres und genaueres Bild dieser Energie schaffen. Die Natur sei unbeweglich und könne nicht tanzen, bevor Shiva es wolle. Tanzend erhalte er sie, noch immer tanzend zerstöre er alle Formen und Namen mit Feuer. Das sei Poesie – aber nichtsdestoweniger Wissenschaft.

In dieser Beschreibung des Nataraja kommen zwei Thesen zur Sprache, die bis heute nichts von ihrer Popularität verloren haben. Zum einen bewundert Coomaraswamy die Symbolkraft dieser Figur und schreibt ihr eine universelle Bedeutung über die Grenzen des Hinduismus hinweg zu. Zum anderen sei das Bild des tanzenden Shiva ein Abbild der Realität – naturwissenschaftlich richtig und nachweisbar. Jedes kosmische Geschehen lasse sich, so der Autor, als eine Aktivität Shivas deuten. Der Tanz sei die Quelle aller Bewegungen im Kosmos. Gleichzeitig erlöse er alle Menschen von jedweder Illusion. Für Coomaraswamy befindet sich die Bühne Shivas und der Mittelpunkt des Universums zwar in Chidambaram, doch tanze Shiva im Herzen aller Menschen.[45]

Aus einer Prozessionsfigur und einem Herrschaftszeichen wird für Coomaraswamy ein spirituell erfahrbares Symbol. Für ihn liegt das Besondere der indischen Kunst in der Tatsache begründet, dass sie im Unterschied zur westlichen Kunst rein spirituell sei. Die indische Kunst existiere nur in unserem eigenen Geist und Herzen, während das westliche Bild plausibel und der Realität verpflichtet sein müsse. Indische Kunst funktioniert über die Symbolik: «Das orientalische Bild existiert nur in unserem eigenen Geist und Herzen. [...] Es bildet nicht die sinnlich wahrnehmbare Beschaffenheit von Dingen ab, sondern die Idee [...] einer Sache, etwas, das intellektuell erkannt wird.»[46]

Mit diesen Thesen setzte Coomaraswamy wichtige Akzente für die Interpretation indischer Kunst. Aus Kultbildern mit den dazugehörigen Prozessionen, Tanz- und Musikdarbietungen wurden intellektualisierte Meditationsbilder. Diese Interpretation ist methodisch problematisch. Zum einen blendete Coomaraswamy die rituelle Bedeutung des tanzenden Shiva völlig aus. Der kulturelle Kontext trat in den Hintergrund, weil es für ihn viel wichtiger war, den Tanz Shivas als ein Paradebeispiel für die Synthese von Wissenschaft, Religion und Kunst zu etablieren. Zum anderen ignorierte Coomaraswamy wissentlich die geschichtliche Einordnung seiner textlichen Belege. Padma Kaimal verweist deshalb zu Recht darauf, dass er wesentlich jüngere Texte zur Interpretation von viel älteren Kunstwerken heranzieht.[47] Aber Coomaraswamy arbeitete auf einer synchronen Ebene, assoziativ und nicht historisch kritisch. Um seine Thesen zu untermauern, zögerte er deshalb auch nicht, Auszüge aus zeitgenössischer Dichtung zu zitieren, die von einem benga-

25

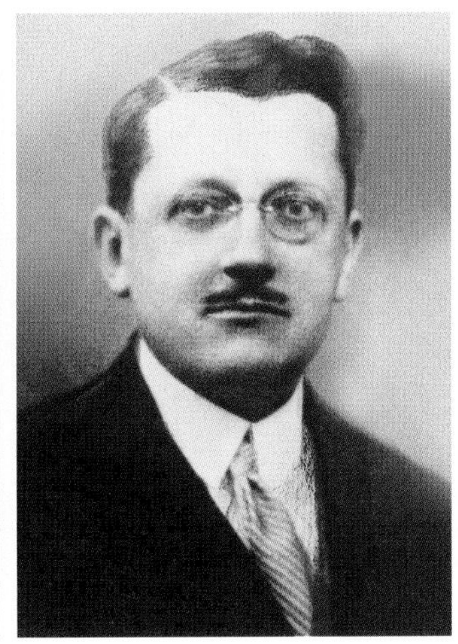

26

27

lischen Hymnus an Durga bis zu einem Zitat aus Alexander Skrjabins berühmten «Poème de l'extase» reichen.[48]

Trotz aller Kritik akzeptierten die meisten Leser die normative Kraft von Coomaraswamys Thesen. Seine Äusserungen und Beobachtungen erwiesen sich als so überzeugend, dass sie von breiten Kreisen akzeptiert wurden. Nicht nur Kunsthistoriker, sondern auch Kunstliebhaber und Indienbewunderer nahmen sie an. Coomaraswamy bot etwas, wonach viele suchten: Er gab klare, einfache und faszinierende Antworten auf komplexe Fragen. Und gleichzeitig erfüllte er ein Bedürfnis nach Spiritualität.

Coomaraswamys Thesen zur indischen Kunst im Allgemeinen und zum tanzenden Shiva im Besonderen fielen im Europa des frühen 20. Jahrhunderts auf fruchtbaren Boden. Im 19. Jahrhundert hatte eine intensive Auseinandersetzung mit den indischen Religionen begonnen. Die klassischen indischen Dichtungen wurden in europäische Sprachen übersetzt, man las moderne Autoren wie Rabindranath Tagore und begeisterte sich für spirituelle Führer wie Ramakrishna, Krishnamurti, Vivekananda und Mahatma Gandhi. In Europa und Nordamerika entdeckten Vegetarier, Astrologen, Anthroposophen, Psychoanalytiker, Künstler, Mystiker, Therapeuten, Esoteriker und Tänzer die östlichen Religionen als Quellen und Bereicherung für ihre Arbeit.[49] Eine der einflussreichsten Vereinigungen war die schon genannte Theosophische Gesellschaft, die 1875 von Helen Blavatsky, Henry Steel Olcott und anderen in New York gegründet worden war.

Shiva ist bis in die heutige Zeit Projektionsfläche für die unterschiedlichsten Ideen geblieben. Er wurde zum Sinnbild kosmischer Prozesse schlechthin. Fridjof Capra meint beispielsweise: «Die Metapher des kosmischen Tanzes vereint alte Mythologie, religiöse Kunst und moderne Physik.»[50] Für ihn ist Shivas Tanz eine Analogie zum Tanz der kleinsten Teilchen in der Physik.

Kunstliebhaber und Händler

Nachdem Künstler und Intellektuelle die mystischen Qualitäten des Orients entdeckt hatten, begann sich auch der Kunsthandel für die südasiatische Kultur zu interessieren. In der Folge entstanden einige bedeutende Privatsammlungen indischer Kunst, in denen Shiva-Skulpturen eine zentrale Rolle einnahmen. Der Mäzen und Kunstsammler Baron Eduard von der Heydt ist hierfür das beste Beispiel. Um 1930 erwarb von der Heydt beim Kunsthändler Ching-Tsai Loo in Paris die Bronzestatue eines tanzenden Shiva.[51] Sie passte bestens in sein Konzept einer universalen Kunst,

25–27 Der Galerist, der Experte und der Sammler. Von links nach rechts: Ching-Tsai Loo (Aufnahme aus dem Jahr 1950), Jouveau Dubreuil (Fotoporträt vom 14. Juli 1945) und Eduard von der Heydt (undatierte Aufnahme).

28

29

einer Weltkunst, denn von der Heydt verstand sich nicht als Sammler von Exotica: «‹Exotische Kunst› [ist] ein Ausdruck, der letzten Endes doch nicht wirklich das trifft, was man sagen will, nämlich die Kunst, so, wie sie überall lebt, nicht nur in Europa, sondern auf der ganzen Welt, und wie sie sich ausdrückt in den Werken chinesischer Maler, Lötschentaler Schnitzer oder afrikanischer Bildhauer: Ars una.»[52]

Obwohl von der Heydt dank seines Vaters, der eine bedeutende Gemäldesammlung aufgebaut hatte[53], schon früh mit Kunst in Berührung kam, war es weniger ein ästhetisches als ein philosophisches Interesse, das ihn bewog, sich mit Kunstwerken zu beschäftigen: «Ursprünglich bin ich nicht eigentlich durch künstlerische, sondern durch philosophische Motive zum Sammeln asiatischer, zuerst vorwiegend buddhistischer Kunst veranlasst worden.»[54] Und er präzisiert: «Mich fesselte hauptsächlich der Hinweis auf die indische Philosophie, und ich nahm mit Interesse davon Kenntnis, dass [Schopenhauer] in seiner Frankfurter Wohnung einen Buddha zur Inspiration seiner Meditationen aufgestellt hatte. Eifrig las ich damals massgebende Werke über indische Philosophie von Oldenberg, Deussen, Rhys Davids. Dadurch entstand bei mir der Wunsch, ein Kunstwerk zu besitzen, das sich auf die ferne Gedankenwelt bezog.»[55]

Dass für von der Heydt die intellektuelle Auseinandersetzung vor der ästhetischen Wertschätzung kam, liefert auch den Schlüssel, um seine folgende Äusserung zu verstehen: «Die indische Plastik darf nicht nach den Gesetzen der europäischen Kunst beurteilt werden. Sie ist rein religiös. Alle ihre Schöpfungen haben irgendwelchen Bezug auf die grossen Epen Ramayana und Mahabharata, auf die Puranas oder auf die buddhistischen Sutras aus allen Zeiten, also auf die heiligen Schriften der indischen Religionen. Man trifft aber neben den auch für unser Empfinden sakralen Darstellungen der Gottheiten – seien es Vishnu und Shiva mit ihrem Anhang oder seien es Jainas, Buddhas oder Bodhisattvas mit ihrem Gefolge – auch zierlich oder wollüstig bewegte oder tanzende Frauengestalten, von sinnlichem Leben sprühend, oder man findet Menschenpaare im höchsten Glanze körperlicher Schönheit, aneinandergeschmiegt oder eng umschlungen. Betrachtet man die indische Kunst aus einem gewissen Abstand, so sieht man überall den Gegensatz: Buddha und Lingam, höchste Vergeistigung und Weltentsagung auf der einen Seite, Bejahung des sinnlichen, irdischen Lebens auf der anderen.»[56]

Vergeistigung und Bejahung des irdischen Lebens, beide Aspekte führte von der Heydt 1926 zusammen, als er den bei Ascona gelegenen Monte Verità erwarb. Einerseits zogen ihn die lebensreformerischen Experimente des «Wahrheitsbergs» an, mit der dort gepflegten Theosophie, dem Vegetarismus und dem Ausdruckstanz, anderseits organisierte er seit 1933 mehr oder minder regelmässig die Eranos-Gespräche, zu denen alles, was in der Indien- und Religionswissenschaft

30

31

32

Rang und Namen hatte, eingeladen war wie Carl Gustav Jung, Olga Froebe-Kapteyn, Martin Buber, Graf Hermann Keyserling, Heinrich Zimmer, Richard Wilhelm, Thomas William Rhys Davids oder Daisetz Teitaro Suzuki.[57]

Es ist wichtig, sich dieses kulturelle Umfeld vor Augen zu führen, um das wachsende Interesse am tanzenden Shiva in Europa besser zu verstehen. Denn von der Heydt war mit seiner Bewunderung nicht alleine. Schon zu seiner Zeit gehörte ein Nataraja in jede bessere private Kunstsammlung. Und es gab kaum ein Museum, das keine Statue des tanzenden Gottes besass oder zumindest danach trachtete, eine zu erwerben. Fragt man nach der Provenienz dieser Werke, so taucht vor allem ein Name immer wieder auf: der in Paris ansässige Ching-Tsai Loo, von dem die meisten südindischen Bronzen stammen, die damals von Sammlern und Museen gekauft wurden.

Ching-Tsai Loo, später kurz C. T. Loo genannt, wurde 1880 in der chinesischen Provinz Zhejiang geboren. Seine Familie übersiedelte später nach Shanghai. Ab 1900 studierte er Wirtschaft in Paris. Schnell avancierte er dort zu einem international beachteten Kunsthändler mit Kontakten zur chinesischen Botschaft und Handelskammer. 1902 eröffnete er sein erstes Antiquitätengeschäft im Zentrum von Paris mit Zweigstellen in Peking und Shanghai. Er kam mit den führenden Sinologen Paul Pelliot, Victor Segalen, Edouard Chavannes und Jean Lartigue in Kontakt. Da er grosse Geschäfte in der neuen Welt witterte, eröffnete Loo 1915 eine Galerie in New York. Seine eindrucksvolle Pariser Galerie im Stil einer Pagode entstand zwischen 1926 und 1928 in Zusammenarbeit mit dem französischen Architekten Ferdinand Bloch. 1957 starb Loo im Alter von 78 Jahren im schweizerischen Nyon[58].

Den Schwerpunkt von C. T. Loos Händlertätigkeit bildete die chinesische Kunst. In Fragen der indischen Kunst verliess er sich auf den Franzosen Gabriel Jouveau Dubreuil. Als Sohn eines französischen Marinearztes in Saigon geboren, verbrachte er seine Kindheit in Guadeloupe und Paris. Den Grossteil seines Erwachsenenlebens verbrachte er im südindischen Pondichéry, das bis 1954 zu Französisch-Indien gehörte, wo er als Professor am Collège français Naturwissenschaften unterrichtete. 1912 beendete er in Paris seine Doktorarbeit zur Archäologie Südindiens und wurde Mitglied der Société Asiatique. Bis heute gilt als er als einer der grossen Archäologen und Indienkenner.[59] Aus seiner Sammlung stammt auch der Nataraja des Museums Rietberg, den Eduard von der Heydt in den Zwanzigerjahren bei C. T. Loo erwarb.

28–29 Mata Hari bei ihrem Auftritt in der Bibliothek des Musée Guimet am 13. März 1905.
30–32 Drei Postkarten von Mary Wigman, «Abendliche Elegien», 1924.

33

Exotismus, Tanz und Erotik

Neben dem philosophisch-intellektuellen Interesse an der Figur des tanzenden Shiva war es auch das Interesse am modernen Ausdruckstanz, das dazu führte, dass von der Heydt die Statue erwarb. In einem Interview berichtet er von seiner Zeit auf dem Monte Verità und erklärt: «Ein regelmässiger und gern gesehener Gast war die bekannte Tänzerin Hertha Feist[60], die häufig des Abends mit grossem Erfolg tanzte. Auch Mary Wigman[61] und Rudolph von Laban[62] zeigten ihre Künste. Der Tanz spielte überhaupt damals eine grosse Rolle und regte mich zum Kauf eines indischen tanzenden Shiva als Figur an, der heute im Museum Rietberg in Zürich steht.»[63]

Dieses Zitat ist aus zwei Gründen aufschlussreich: Zum einen lässt sich aus von der Heydts Aussage schliessen, dass er die Bronzestatue nach 1926, als er den Monte Verità erwarb, und vor 1931, als er den Nataraja erstmals publizierte, erworben haben muss. Zweitens benennt von der Heydt ausdrücklich den modernen Ausdruckstanz als Auslöser für den Kauf der Statue. Diese Äusserung ist wichtig, denn sie steht exemplarisch für eine weitverbreitete Begeisterung für den orientalischen, aber auch für den modernen europäischen Tanz. Diese Faszination lässt sich mindestens bis an den Anfang des Jahrhunderts zurückverfolgen. Der früheste Beleg für eine Tanzaufführung, die den kosmischen Tänzer zum Thema hatte, scheint der Auftritt der Tänzerin Mata Hari (eigentlich Margaretha Geertruida Zelle, 1876–1917) im Pariser Musée Guimet im Frühjahr des Jahres 1905 gewesen zu sein.[64]

Das Paris der Belle Époque kannte eine ganze Reihe erotischer Nackttänzerinnen. Aber eine indische Tempeltänzerin mit geheimnisvoller Geschichte war etwas Neues – und genau mit dieser Sensation konnte Mata Hari aufwarten, als sie nach ihren ersten fulminanten Auftritten behauptete, die Tochter einer indischen Tempeltänzerin zu sein. Mata Haris Genialität bestand in der Kombination von Religion und Erotik, von Sakralem und Striptease. Da es kaum Fachleute für indische Tänze und Kultur gab, musste sie keine Blossstellung oder Kritik befürchten.

Ihre ersten Auftritte fanden Anfang 1905 im Rahmen einer Wohltätigkeitsveranstaltung von Baronin Kiréevsky in Paris statt, in denen sie vor einer Figur des Nataraja auftrat, um sich am Ende fast völlig entkleidet der Gottheit zu Füssen zu werfen.[65] Kurz darauf bat sie der Lyoner Industrielle Emile Guimet, in seinem 1899 gegründeten Museum zu tanzen. Am 13. März 1905 präsentierte sie dort vor einem ausgesuchten Publikum Nachempfindungen indischer Tempeltänze. Guimet hatte ein sorgfältig ausgelesenes Publikum von rund sechshundert Personen – Künstler, Musiker, Intellektuelle, Bankiers, Diplomaten und Politiker, Aristokraten und Kunstliebhaber – eingeladen. Die Darbietung fand in der Bibliothek im Obergeschoss statt, die man mithilfe von Girlanden und dem Schein von Kerzen in eine Art indischen Tempel verwandelt hatte, in dessen

34

35

Mitte die Figur eines tanzenden Shiva stand. Ein Orchester spielte indisch beziehungsweise javanesisch inspirierte Musik. Nach einer kurzen Einführung durch den Hausherrn betrat die leicht beschürzte und mit Blumenkränzen geschmückte Mata Hari das improvisierte Heiligtum und verzauberte das Publikum mit ihrem erotischen Tanz. Es wird berichtet, dass sie die Natur ihrer Tänze jeweils kurz erläuterte. So seien alle wahren Tempeltänze religiös inspiriert und illustrierten mit ihren Gesten und Posen die Gesetze der heiligen Schriften. Zudem müsse man immer die drei göttlichen Aspekte Brahmas, Vishnus und Shivas beachten: Schöpfung, Fruchtbarkeit [sic!] und Zerstörung.[66] Die Schlussszene, in der sie nahezu unbekleidet tanzte, war Sensation und Skandal zugleich. Die Presse war des Lobes voll und zollte ihrer Kunst Anerkennung. Die Auftritte bei Emil Guimet öffneten Mata Hari die Tore der vornehmsten Pariser Salons. Schliesslich wurde Gabriel Astruc, der Impressario der Ballets Russes, ihr Manager, und es folgten Auftritte im Pariser Revuetheater «Olympia», in Monte Carlo, in Wien und an der Mailänder Scala.

Mata Hari war vielleicht die spektakulärste, aber längst nicht die einzige Westlerin, die indische Tänze aufführte. Die Amerikanerin Ruth St. Denis (1879–1968) trat 1906 im Pariser Théâtre Marigny erstmals auf, verzichtete allerdings auf explizite Erotik. Nyota Inyota, Vanah Yami, Sahary Djeli, Ariman Banu, Ragini Devi oder Djemil Anik sind weitere berühmte exotische Tänzerinnen und Tänzer dieser Zeit.[67] Einige von ihnen kamen aus dem Ausland, andere wuchsen in Europa auf. Alle einte eine fürs westliche Publikum geschaffene Kunst, eine Anpassung an westliche Geschmäcker, Erotik und Mystizismus. Der früheste und wichtigste Vertreter eines echten indischen Tanzes in Europa ist jedoch Uday Shankar.[68]

Uday Shankar wurde 1900 im indischen Udaipur geboren. Ab 1919 studierte er in London Malerei. Schon früh begann er, mit selbst einstudierten indischen Tänzen öffentlich aufzutreten, zuerst alleine, ab 1924 gemeinsam mit seinem Vater. Wenig später wurde die russische Ballerina Anna Pawlowa[69] auf ihn aufmerksam. Mit ihr studierte er zwei auf indischen Tanzformen basierende Ballette ein. 1929 gründete er seine eigene Tanztruppe, mit der er in den Dreissigerjahren in Europa und den USA auftrat.

Alice Boner (1898–1981) hatte wesentlich zu seinem Erfolg in Europa beigetragen[70]. Zu seinem Auftritt 1926 in Zürich, bei dem sie Shankar zum ersten Mal tanzen sah, vermerkte sie in ih-

33 Alice Boner, Plakatentwurf zum Auftritt Uday Shankars am 6. und 12. Juni 1934 in der Salle Pleyel in Paris.
34 Autogrammfoto von Uday Shankar, wohl 1931/32.
35 Aufführung des Stückes «Gajasuravadha» mit Uday Shankar als Shiva und Debendra Shankar als Dämon, im Hintergrund Ravi und Rajendra Shankar, Théâtre Champs-Elysées, Paris 1931.

rem Tagebuch: «Abends Kursaal: viel Kitsch und eine Offenbarung, der indische Tänzer.»[71] Drei Jahre später sah sie Shankar zum zweiten Mal in Paris mit seiner französischen Partnerin Simkie tanzen. Als Alice Boner hörte, dass Shankar unzufrieden war, dass die Musik zu seinen Aufführungen von der Schallplatte kam und nicht von einem kleinen Orchester, entschloss sie sich, den Tänzer zu unterstützen. 1930 bereiste sie mit ihm Indien, um nach geeigneten Musikern und den notwendigen Instrumenten zu suchen. Mit Erfolg, wie sein Auftritt 1931 im Pariser Théâtre des Champs-Elysées beweist, der von den Parisern mit Begeisterung aufgenommen wurde. Während fünf Jahren, von 1930 bis 1935, betreute Boner Shankars Auftritte und Touren, bevor sie 1936 nach Benares übersiedelte. 1938 kehrte Shankar nach Indien zurück und eröffnete eine Schule für indischen Tanz, Musik und Schauspielkunst, ging jedoch noch bis in die Sechzigerjahre gelegentlich auf Auslandstournee. Sein Bestreben war es, aus den klassischen indischen Tanzformen, die mit starren Tempelzeremonien verbunden waren, neue Ausdrucksformen zu entwickeln, die auch Anregungen aus dem westlichen Theater integrierten. Als Anhänger theosophischer Ideen betrachtete Shankar die spirituelle Dimension als das Wesentliche des indischen Tanzes. Shankar übte nicht nur einen bedeutenden Einfluss auf den modernen indischen Tanz aus, sondern machte diesen auch erstmals einem breiten Publikum im westlichen Ausland zugänglich. Er starb 1977 in Kalkutta.

Dass Shankar den spirituellen Gehalt des indischen Tanzes so herausstrich und damit eine Einschätzung formulierte, die wir bereits von Coomaraswamy kennen, ist kein Zufall. Mehr noch, auch für Shankar sollte der tanzende Shiva zu einer bedeutenden Inspirationsquelle werden: 1924 scheint der Tänzer das erste Mal auf den Nataraja aufmerksam geworden zu sein, als er eine Publikation von Coomaraswamy erhielt, dessen Titelblatt eine entsprechende Bronzefigur zierte.[72] Zutiefst beeindruckt erarbeitete er eine Choreografie, in deren Zentrum der kosmische Tänzer steht. Im Laufe der Jahre avancierte Shiva Nataraja zur Ikone des Bharata Natyam; seine Figur gehört zur Grundausstattung jeder Tanzaufführung. Ihr wird jeweils zu Beginn einer Vorstellung eine kleine *puja* dargebracht.[73]

Shivas Tanz als Allegorie für die krisengeschüttelte Welt

In Europa und Nordamerika wurde der tanzende Shiva zwischen den beiden Weltkriegen zum Sinnbild des Weltgeschehens. Die Katastrophe der Weltkriege schien den zyklischen Weltzeitaltern der hinduistischen Kosmologie zu entsprechen. So war beispielsweise für die schon erwähnte Alice Boner der kosmische Zyklus aus Werden, Bestehen und Vergehen eine Allegorie für die heutige Welt mit ihren Problemen und Konflikten. Als Malerin, die sie auch war, widmete sie diesem Thema eigens ein Triptychon, in dem allerdings Kali und nicht Shiva die Welt in Stücke schlägt.[74]

Unter den vielen Denkern und Literaten, die in der Welt Anzeichen für ihren nahenden Untergang erkannten, soll Hermann Hesse (1877–1962) zur Sprache kommen, da er mit dem schon erwähnten Monte Verità eng verbunden ist.[75] Dem Nationalsozialismus und der darauf folgenden Erschütterung des Zweiten Weltkrieges versuchte Hesse sein *Glasperlenspiel* entgegenzuhalten, in dem er jede Form des Totalitarismus ad absurdum führt.[76] Dort lesen wir über die Inder und ihren Glauben: «Es ist wunderbar: dieses Volk, einsichtig und leidensfähig wie kaum ein anderes, es hat mit Grauen und Scham dem grausamen Spiel der Weltgeschichte zugesehen, dem ewig sich drehenden Rad von Gier und Leiden, es hat die Hinfälligkeit des Geschaffenen gesehen und verstanden, die Gier und Teufelei des Menschen und zugleich seine tiefe Sehnsucht nach Reinheit

36

37

und Harmonie, und hat für die ganze Schönheit und Tragik der Schöpfung diese herrlichen Gleichnisse gefunden [...] vom gewaltigen Shiva, der die verkommene Welt in Trümmer tanzt».[77]

Der tanzende Shiva wird hier zur Allegorie für eine dem Abgrund entgegentreibende Welt. Gleichzeitig ist Shiva Hoffnungsträger, denn auf die Zerstörung wird wieder ein Neuanfang folgen. Für Hesse ist zwar das letzte der Weltzeitalter angebrochen und sein Untergang vorprogrammiert. Aber das Zyklische, die ewige Wiederkehr, gibt Hesse Kraft. Die Gewissheit, dass alles von Neuem beginnt, hat für ihn nichts Negatives oder Pessimistisches, sondern etwas «Heiteres»: «Diese Heiterkeit ist weder Tändelei noch Selbstgefälligkeit, sie ist höchste Erkenntnis und Liebe, ist Bejahen aller Wirklichkeit, Wachsein am Rand aller Tiefen und Abgründe, sie ist eine Tugend der Heiligen und der Ritter, sie ist unstörbar und nimmt mit dem Alter und der Todesnähe nur immer zu. Sie ist das Geheimnis des Schönen und die eigentliche Substanz jeder Kunst. [...] Die Welt, wie diese Mythen sie darstellen, beginnt in ihrem Anfange göttlich, selig, strahlend, frühlingsschön, als goldenes Zeitalter; sie erkrankt sodann und verkommt mehr und mehr, sie verroht und verelendet, und am Ende von vier immer tiefer sinkenden Weltzeitaltern ist sie reif dafür, vom lachenden und tanzenden Shiva zertreten und vernichtet zu werden – aber es endet damit nicht, es beginnt neu mit dem Lächeln des träumenden Vishnu, der mit spielenden Händen eine neue, junge, schöne, strahlende Welt erschafft.»[78]

Shiva verkörpert eine alternative Sicht auf das Weltgeschehen.[79] Auch Eduard von der Heydt sieht in Shiva ein Sinnbild für die bedrohte Menschheit, wenn er sagt: «Shiva ist nicht nur der Schöpfer, sondern auch der grosse Zerstörer. Er erschafft die Welt im Spiel, amüsiert sich mit ihr und zerstört sie schliesslich. Dieses Konzept, das manchen paradox oder sogar grausam erscheinen mag, ist dem Hindu vertraut. Vielleicht ist es im Zeitalter der Atombombe dem europäischen Verständnis auch nicht mehr so fremd wie vor 50 Jahren, als man noch naiv an den Fortschritt glaubte.»[80] In diesen Worten drückt sich auch seine Skepsis gegenüber dem technischen Fortschrittsglauben der modernen westlichen Welt aus. Indien mit seiner Mystik, Kunst und Weisheit bildet da eine mögliche Alternative, die er anderen Menschen nahebringen möchte: «Ich bin glücklich, dass durch meine Sammlungen so viele arme maschinengeplagte Europäer die stille Schönheit Asiens kennenlernen.»[81]

36 Alice Boner in ihrem Haus in Benares (1938).
37 Hermann Hesse (aufgenommen um 1958).

Aneignung und Umdeutung

Die Suche nach philosophischer Weisheit und religiöser Mystik zieht sich wie ein roter Faden durch die Deutung indischer Kunst. Doch nicht nur westliche Intellektuelle, sondern auch indische Denker wie Aurobindo Ghose (1872–1950) beschrieben in der Nachfolge zu Coomaraswamy immer wieder die spirituelle Tiefe der indischen Kunst. So erklärte Aurobindo: «Die Inspiration, die Art und Weise zu sehen, ist offen gesagt nicht naturalistisch. [...] Der indische Bildhauer ist damit beschäftigt, spirituellen Erfahrungen und Eindrücken eine Gestalt zu geben – nicht damit, das zu glorifizieren, was mit den Sinnesorganen wahrgenommen wird.»[82] Anders gesagt, der indische Bildhauer produziere sein Kunstwerk erst, nachdem er seine Augen für die physische Wirklichkeit verschlossen habe.

Nach dieser Auffassung bildet Kunst keine Realität ab, sondern offenbart transzendente Wahrheit und ist nur spirituell erfahrbar. Symbole existieren über kulturelle Grenzen hinweg, denn sie tragen ihre universale Bedeutung in sich und sind nicht auf kulturelle Codes angewiesen. Sie bestehen unabhängig von den Deutungen und Erfahrungen der Menschen. Kunst bildet also keine Realität ab, sondern verweist auf das Erhabene und Verborgene. Niemand anders als der berühmte Bildhauer Auguste Rodin (1840–1917) unterstrich diese Annahmen in einem 1913 verfassten Text namens «La danse de Shiva», der 1921 von Coomaraswamy in einem Fotoband über shivaitische Skulpturen publiziert wurde. Dort bewundert er beim tanzenden Shiva vor allem das, was man nicht sehen kann, nämlich die unbekannten Tiefen, den Grund des Lebens.[83]

Lassen wir noch einmal Alice Boner zu Wort kommen, die geradezu exemplarisch ausdrückt, was Rodin, von der Heydt oder Hesse an indischer Kunst so faszinierte. In Anlehnung an Coomaraswamy hält sie Symbole für die reinste Form der Kunst und eigentliche Sprache der Metaphysik. «Eine solche Kunst ist nicht um ihrer selbst willen da, sondern um die eine transzendente Wahrheit zu offenbaren. Sie hat kein anderes Ziel, als Verkünderin einer universellen Lehre zu sein und religiöse und geistige Bestrebungen zu unterstützen. Sie wird sich daher nicht mit bloss gefühlsmässigen oder malerischen Aspekten der Lebensphänomene befassen, sondern sieht diese Phänomene als Spiegel der Wirklichkeit. Sie will nicht bei dem vergänglichen, zufälligen, flüchtigen Schein der Dinge verharren, sondern bei ihrem wesentlichen Sein. Sie möchte die materielle Welt der Formen verwandeln und in die Welt der ‹Ideen›, aus der sie stammt, zurückführen.»[84]

In ihrem Tagebuch schreibt sie: «Was mich am meisten von allem beschäftigt, ist der symbolische Wert und Ausdruck der Formen aller Dinge, die die Natur geschaffen hat.»[85] Bettina Bäumer unterstreicht, dass hier «‹symbolisch› oder ‹Symbol› im ganz primären Sinn zu verstehen ist, nicht als eine sekundäre Interpretation, die sozusagen vom Menschen konventionell festgelegte ‹Bedeutung› eines Zeichens (wie im Verkehrszeichen), das auf etwas ‹anderes› verweist, sondern als die in jeder Form inhärente Qualität und Symbolkraft: Formen und Linien.»[86] Boner schreibt selbst dazu: «Formen und Linien haben in sich selbst eine Funktion, einen Charakter und einen Ausdruck, ganz unabhängig von dem, was sie tatsächlich in einem Bild darstellen. Sie wirken primär auf unser unterbewusstes Formempfinden, als reiner Formausdruck, und erst sekundär durch ihre objektiven Bedeutungen.»[87]

Hinter diesem Symbolbegriff verbirgt sich eine tiefe Religiosität. Alice Boner erlebte die Kunst als Metaphysik. Oder anders gesagt, ihre Art der Kunstinterpretation ist religiöse Sprache. Ihre Tagebuchaufzeichnungen über ihren Besuch der Felsentempel in Ellora sind ein deutlicher

Beleg: Als sie dort ganz alleine den Kailasa-Tempel besichtigte, rannte sie nach oben in die grosse Halle, wo sie ihre Schuhe auszog. Als sie das Linga im Schummerlicht erblickte, schien es ihr, als käme es auf sie zu. Von unbeschreibbaren Gefühlen überwältigt, begann sie zu weinen. Sie schildert, dass sie das Gefühl gehabt habe, sich in den Armen eines liebenden Vaters zu befinden und augenblicklich verstanden zu haben, dass das Linga das Herz aller Dinge, die innerste Säule des Universums sei.[88]

In Indien blieb die Bewunderung vieler Europäer für den Hinduismus und seine Symbole nicht ungehört. Religiöse Führer und Intellektuelle beobachteten sehr genau, was man im Westen über Indien dachte. Oft passten sie ihre Vorstellungen europäischen Wertvorgaben an und unterzogen damit ihre eigene Kultur einer Neuinterpretation. Aus der spannungsvollen Auseinandersetzung mit dem westlichen Gedankengut, das ja aus den Reihen der ehemaligen Kolonialmächte hervorgegangen war, resultierte eine Neuorientierung, die den Hinduismus in seiner Entwicklung massgeblich prägen sollte.[89] So entstand während der letzten zweihundert Jahre ein «Neo-Hinduismus», ein neuer, reformierter und universaler Hinduismus. Dazu gehörte auch, dass alte Traditionen wie der Bilderkult, die Witwenverbrennung, die Unberührbarkeit und das Kastenwesen kritisch hinterfragt wurden. Darüber hinaus entstanden neue, weltweit operierende religiöse Institutionen mit Anhängern im Westen.

In diesem gegenseitigen Aneignungsprozess bildete der tanzende Shiva ein wichtiges Medium. Auf der Suche nach Symbolen avancierte er zu einer Ikone des Hinduismus. Neben der heiligen Silbe «Om», dem Flöte spielenden Krishna und dem elefantenköpfigen Ganesha repräsentiert er eine neue Weltreligion. Der tanzende Shiva gelangte sogar in die amerikanischen Gerichtssäle und auf die Titelseiten der internationalen Presse: Eine in der kleinen indischen Stadt Pathur gefundene Bronze war 1976 heimlich aus Indien an den amerikanischen Kunstsammler Norton Simon verkauft worden, worauf Indien sie 1988 als illegal ausgeführtes Kulturgut zurückforderte. 1991 kehrte der Nataraja nach Tamil Nadu zurück und wurde wieder geweiht. Heute befindet er sich im Icon Centre von Tiruvarur. Besonders interessant ist an diesem Fall, dass der Gott Shiva als juristische Person in der Verhandlung auftrat: Shiva forderte «sein» Eigentum zurück – eine Tatsache, die den internationalen Kunsthandel in Aufruhr brachte.[90]

Zusammenfassend lässt sich sagen, dass sich kulturelle Praktiken in Indien in den letzten hundert Jahren stark veränderten. Der erwachende Nationalismus, der Neo-Hinduismus mit seinem Rückbesinnen auf das Alte und seiner gleichzeitigen Öffnung für das Neue, zunehmende Globalisierung und Kommerzialisierung der Kunst hatten einen entscheidenden Einfluss auf die traditionellen Künste in Indien. Die Wiederentdeckung des klassischen indischen Tanzes ist hierfür ein Paradebeispiel: Mit dem endgültigen Verbot der Tempeltänzerinnen nach der indischen Unabhängigkeit verlor der Tanz seine ursprüngliche rituelle Funktion. Im Kontext von nationaler Identitätssuche wurde der *Bharata Natyam* als «klassisch indischer Tanz» postuliert.[91] Eine rituelle Praxis offenbarte sich plötzlich als kulturelle Identität. Ein ursprüngliches Opfer an die Götter gelangte als Tanzdarbietung auf internationale Bühnen. Was als religiöses Ritual gedacht war, ist heute ein Auftritt von säkularen Tänzerinnen, für den man Eintrittskarten erwirbt.

Kulturelle Prozesse dieser Art haben schon immer stattgefunden – eine Beobachtung, die banal klingen mag, aber ihren Platz hier hat. Denn die Absicht dieser Einleitung liegt darin, zu zeigen, dass unser Kunstverständnis ständigen Veränderungen unterliegt. Unsere Begeisterung für den tanzenden Shiva ist also, wie schon mehrfach gesagt, nicht zufällig, sondern resultiert aus dem Zeitgeist des 19. und 20. Jahrhunderts, den spirituellen Bedürfnissen, aber eben auch aus den politischen Verhältnissen und vorherrschenden Ideologien.

Kulturelle Praxis in Südindien

Dem tanzenden Shiva wurde im Laufe der letzten zweihundert Jahre eine Reihe von Bedeutungen zugeschrieben, von denen einige bis heute nichts an ihrer Aktualität eingebüsst haben. Überall auf der Welt bewundert man heute den Shiva Nataraja als ein universelles Symbol, ohne den Tempel in Chidambaram oder die Dichtungen der shivaitischen Heiligen kennen zu müssen. Man weiss nichts von der vegetativen Logik der dazugehörigen Rituale und Feste mit ihrem Zyklus von Schöpfung, Wachstum und Vergehen, ihrer Einbindung in die Jahreszeiten und den liturgischen Kalender – obwohl diese kulturelle Praxis in Indien heute noch weiterlebt. Der «globale» Shiva existiert ohne lokale Geschichten und Bräuche, er hat sich von seinen südindischen Ursprüngen entfernt. Es zählen nur noch seine kosmische Bedeutung, das spirituelle Konzept als die grosse Idee, die hinter allem steht.

Im Gegensatz zum tanzenden Shiva wurde dem Linga als wichtigstem shivaitischem Symbol nie dieselbe weltweite Aufmerksam zuteil. Ein Grund mag sein, dass der christlich geprägte Westen an seiner deutlichen Form Anstoss nahm: Schon Goethe fand die Kombination von Linga und Yoni abstossend, wenn er sagt: «Und also, ein für allemal, der Lingam ist mir ganz fatal!»[92] Abbé Dubois sah im Linga sogar einen Beleg dafür, dass «alle Gründer falscher Religionen an die niedersten Instinkte ihrer Prosyleten appellieren und deren Leidenschaften schmeicheln mussten». Für ihn ist das Linga eine propagandistische Anbiederung an die sexuellen Gelüste der Menschen und deshalb ein «verabscheuungswürdiges Symbol».[93] Beide Zitate belegen, dass ein erigierter Phallus in Kombination mit einer Vagina dem europäischen Publikum nicht zu vermitteln waren.

Auf ihrer Suche nach universalen Symbolen für den Hinduismus mussten Alternativen gefunden werden. Der moderne, spirituelle, global ausgerichtete Hinduismus des 20. Jahrhunderts brauchte andere Bilder. Einen Schöpfergott sah man am liebsten als erhabenes, möglichst asexuelles Wesen. Offene Erotik und Sexualität galt es zu vermeiden, an ihre Stelle traten das Sublime, das Symbol und die Transzendenz.[94] In diesem Zusammenhang fällt auf, dass die Göttin Parvati im bereinigten Shiva-Bild nicht mehr vorkommt. Während sie in indischen Tempeln noch fest an Shivas Seite steht, fehlt sie beispielsweise in den Überlegungen von Hesse gänzlich. Kunstliebhaber wie Eduard von der Heydt erwarben zwar hinduistische Göttinnen für ihre Sammlungen, doch wurde ihnen nie dieselbe Faszination zuteil, die der Nataraja erregte. Der Katalogbeitrag von Saskia Kersenboom soll diese Verzerrung korrigieren: Der Göttin Parvati und dem erotisch, spannungsvollen Verhältnis zu ihrem Partner widmet sie besondere Aufmerksamkeit.

Europäer und Nordamerikaner auf der einen Seite und Inder auf der anderen Seite entwickelten in den letzten hundert Jahren gemeinsam ein Bild des tanzenden Shiva, das sich in vielem von der – noch heute existierenden – kulturellen Bedeutung in Südindien entfernte. Der Artikel von Saskia Kersenboom ergänzt dieses vergeistigte Bild. Der Titel «Dort, wo Shiva tanzt» ist Programm, denn die Autorin stellt den tanzenden Shiva auf seiner lokalen Bühne, im südindischen Tamil Nadu, vor. Mit ihrem Aufsatz erläutert sie die Logik der täglichen Rituale und jährlichen Feste. Anhand eines liturgischen Kalenders öffnet sie den Vorhang für die komplexen Spiele zwischen Göttern und Menschen.

Der dem Katalog als DVD beigefügte und in der Ausstellung gezeigte Kurzfilm versucht, die unterschiedlichen Themen in 15 Minuten zusammenzufassen. Er führt in die Technik des Bronzegusses ein, zeigt Prozessionen und lässt Musik und Gesänge erklingen. Denn letztendlich gilt es zu verstehen, dass alle gezeigten Objekte Ausdruck einer umfassenden kulturellen Praxis sind. Zum tanzenden Shiva gehören Kunsthandwerk, Poesie, Rituale, Tanz und Musik und letztendlich eine grosse Menge an Emotionen, Ehrfurcht und Hingabe.

Anmerkungen

1 Eine sehr gute und übersichtliche Einführung geben Marie Luce Barazer-Billoret und Bruno Dagens 2004.
2 Siehe Barazer-Billoret und Dagens 2004, S. 25; Basham 1967, S. 24, Tafel IX a/b/c; Witzel 2003, S. 19ff.
3 In einigen Puranas, mittelalterlichen Mythensammlungen, wird Shiva als «ausserhalb der Veden» benannt. Das wäre ein Hinweis dafür, dass er ursprünglich nicht zum brahmanischen Hinduismus gehörte.
4 Siehe dazu Mertens 1998, eine gute Kurzdarstellung gibt Oberlies 2008.
5 Sivaramamurti 1974, S. 168f.
6 Siehe hierzu die Anmerkung 7 im Aufsatz von Saskia Kersenboom auf S. 76.
7 Parvati, Ganesha und Murukan tragen viele Namen, siehe dazu im Glossar die entsprechenden Einträge.
8 Im Sanskrit hat das Wort *lingam* keine unmittelbare erotische Konnotation. Das Neutrum bedeutet «Kennzeichen» oder «Merkmal». Es «zeigt» sozusagen das Wesen Shivas an. Siehe dazu unter anderem Mitterwallner 1984.
9 Interessanterweise trägt aber gerade eines der ältesten überlieferten Lingas ein Abbild Shivas. Es stammt aus dem Südosten Indiens und wird ins 2. Jahrhundert v. Chr. datiert. Vgl. dazu Sivaramamurti 1974, Fig. 1, S. 169.
10 Priester zünden Lichter und Weihrauchstäbchen an, läuten Glöckchen, rezitieren Hymnen und opfern Butterschmalz, Milch, Wasser und Blüten. Siehe Aufsatz Kersenboom S. 45 und die dem Katalog beigefügte DVD.
11 Zu den wichtigsten shivaitischen Pilgerorten in Indien und Nepal siehe Pattanaik 1997, S. 107–112.
12 Auf Sanskrit bedeutet *yoni* «Schoss», «Mutterleib» oder «Ursprung». Sie ist eine stilisierte Vagina.
13 Viele namhafte Wissenschaftler haben sich mit dieser Frage auseinandergesetzt und ganz unterschiedliche Antworten gegeben. Siehe zum Beispiel Barret 1976, Gaston 1982, Kaimal 1999, Kulke 1970 und Sivaramamurti 1974.
14 Zvelebil 1985, zur Diskussion siehe auch Younger 1995, S. 88f.
15 Sivaramamurti 1974, S. 168–172.
16 Siehe dazu unter anderem Boner 1964/65, S. 302; Kulke 1970, Abb. 7–10; Barazer-Billoret und Dagens 2004, S. 53ff. und Kaimal 1999, S. 391; Parlier-Renault 2006, S. 63–79.
17 Siehe dazu unter anderem Gaston 1982, vor allem Kapitel 4, S. 47–113 und Sivaramamurti 1974, Kapitel 13, S. 168–345.
18 Die Cholas hatten sich zunächst im 9. Jahrhundert als Herrscher im Tal des Kaveri-Flusses etabliert. Zweihundert Jahre später reichte ihr Einfluss über ganz Tamil Nadu bis ins benachbarte Andhra Pradesh und Karnataka sowie nach Sri Lanka.
19 Der tanzende Shiva erscheint hier mit allen Details wie zum Beispiel der Göttin Ganga, siehe dazu Kaimal 1999, S. 410 und Srinivasan 2004, S. 441.
20 Siehe dazu Srinivasan 2004, S. 441–444 und Guy 2004, S. 76–79.
21 Siehe Aufsatz Kersenboom, S. 70f.
22 «Ungläubig» heisst hier, dass die Seher zur philosophischen Tradition der *purva mimamsa* («Erste Erörterung») gehören, die ihren Schwerpunkt in der Erkenntnistheorie und Sprachphilosophie hat und jegliche Form der bildlichen Götterverehrung ablehnt. Siehe hierzu die Bemerkungen zum Ursprung des *Natyashastra* im Aufsatz Kersenboom, S. 41f.
23 Siehe Aufsatz Kersenboom, S. 73.
24 Siehe Aufsatz Kersenboom, S. 70.
25 Die Struktur des Tempelkomplexes erzählt eine höchst komplexe Geschichte: Schreine wurden hinzugefügt und entfernt genauso wie Tore und Mauern. Siehe dazu unter anderem Kaimal 1999, S. 399.
26 Siehe dazu Guy 2004, S. 71.
27 Die Verbindung des Ortes mit dem Königtum ist aber schon älter: Der legendäre aus Bengalen stammende König Hiranyavarman beziehungsweise Simhavarman soll schon im 6. Jahrhundert hierhergekommen sein, um sich von Lepra zu heilen. Er habe das Linga im Wald von Tillai verehrt und den Tanz Shivas beobachtet. Dann habe er den Schrein erweitert und die Brahmanen dort angesiedelt. Siehe dazu Hall 2004, S. 87ff.; siehe auch Guy 2004, S. 71.
28 Kaimal 1999, S. 405.
29 Siehe dazu Sivaramamurti 1963, S. 14–17; Mallebrein 1984, S. 236f.
30 Srinivasan 2004, S. 439.
31 Chandramouli 2004.
32 Siehe unter anderem Satagopan 2004.
33 Frühe tamilische Texte beschreiben, wie die Göttin des Krieges auf dem Schlachtfeld und den Kremierungsplätzen wild umhertanzt. Für diese frühe Zeit deutet Kersenboom 1981, Anmerkung 59, Shiva in Anlehnung an diese Tänze als Gott der Vernichtung und des Todes.
34 Boner 1964/65, S. 306ff.
35 Boner 1964/65, S. 302 und 310; zum göttlichen Spiel siehe im Katalog auch S. 42f.
36 Kaimal 1999, S. 392.
37 Siehe Aufsatz Kersenboom, S. 63.
38 Siehe dazu unter anderem Barazer-Billoret und Dagens 2004 und besonders Pal 2004.
39 Vgl. zum Beispiel die Einführungen von Kim Knott 2000, Plaeschke und Plaeschke 1978, Sivaraman 1995 oder Kulke und Rothermund 2006.
40 In den Reiseberichten über Südindien von Pierre Sonnerat kommt er nicht einmal vor, siehe hierzu im Katalog auf S. 188.
41 Ziegenbalg 2003 (1713), S. 69.
42 Dubois 2002 (1825), S. 500f.
43 Siehe dazu die Bibliografie von Rama P. Coomaraswamy 1988.
44 Coomaraswamy 1952, S. 84.
45 Coomaraswamy 1956, S. 31.
46 Coomaraswamy 1956, S. 29, 13.
47 Kaimal 1999, S. 391.
48 Der russische Komponist Alexander Skrjabins (1872–1915) war ein Sympathisant der Theosophischen Gesellschaft, siehe hierzu Schibli 1983, S. 303–315.
49 Siehe King 1999; Halbfass 1990.
50 Capra 1976, S. 258f., siehe dazu auch Harp Allen 1997, S. 83f.
51 Siehe im Katalog auf S. 82.
52 Von der Heydt 1950, S. 7.
53 Zu von der Heydt als Sammler siehe Bell 1993, Fehlemann 2001, Landolt 1952, Rotzler 1980 und Stamm 2002.
54 Von der Heydt und Rheinbaden 1958, S. 35.
55 Von der Heydt und Rheinbaden 1958, S. 36.
56 Von der Heydt und Rheinbaden 1958, S. 46f.
57 Siehe dazu Barone, Riedl und Tischel 2004, Bodmer, Holdenrieder und Seeland 2000, Landmann 2000, Rosenbaum-Kroeber 1980.
58 Undatierte Pressemitteilung der Galerie C. T. Loo und Cie.
59 Yvain Jouveau du Breuil 1995, S. 1500, siehe auch im Internet unter www.ghcaraibe.org.

60 Hertha Feist (1896–1990), berühmte deutsche Tänzerin und Choreografin, gehörte Labans Tanztruppe an und eröffnete 1923 in Berlin eine Schule für Tanz und Gymnastik, an der sie körperbetonende Bewegungslehre unterrichtete.

61 Mary Wigman (1886–1973), eigentlich Karoline Sofie Marie Wiegmann, war eine weitere wichtige deutsche Tänzerin, Choreografin und Tanzpädagogin. Auf Anraten Emil Noldes ging sie 1912 in Rudolph von Labans «Schule für Kunst» auf dem Monte Verità. 1920 eröffnete sie eine Schule für modernen Tanz in Dresden, die von den Nationalsozialisten 1942 geschlossen wurde. Siehe dazu unter anderem Müller 1986.

62 Rudolph von Laban (1879–1958), eigentlich Rezso Laban de Váraljas, berühmter ungarischer Tänzer, Choreograf und Tanztheoretiker, gilt als einer der wichtigsten Begründer des modernen deutschen Ausdruckstanzes. Vgl. dazu unter anderem Böhme 1996 und Dörr 2004.

63 Von der Heydt 1958, S. 32 f.

64 Weitere Namen sind Marguerite Campbell und Lady Gretha MacLeod.

65 Siehe dazu Shipman 2007, S. 146, Décoret Ahiha 2004, Ochaim und Balk 1998.

66 Shipman 2007, S. 152.

67 Coorawala 1999, Décoret Ahiha 2004 und Rahman 2004.

68 Siehe Banerji 1982 und Boner 1984, Décoret Ahiha 2004 und jüngst Abrahams 2007.

69 Anna Pawlowna Pawlowa (1881–1931), die russische Meistertänzerin, gehörte nur kurze Zeit zu Sergei Djagilews *Balletts Russes,* siehe zu dieser Balletttruppe unter anderem Jeschke, Ursel und Zeidler 1997.

70 Siehe unter anderem Décoret Ahiha 2004.

71 So steht es im Tagebuch von Alice Boner, das sich im Alice-Boner-Archiv des Museums Rietberg befindet.

72 Abrahams 2007, S. 385, 404 f., siehe auch Boner 1984, S. 105. Ruth St. Denis und Ted Shawn (1891–1972) hatten sich ebenfalls von Coomaraswamy leiten lassen, siehe hierzu Harp Allan 1997, S. 91.

73 Der berühmte indische Tänzer Ram Gopal (1912–2003) trat bei seinem Auftritt im Londoner Victoria and Albert Museum 1947 anlässlich der Ausstellungseröffnung «The Human Form in the Indian Sculpture» natürlich vor einem Nataraja auf, vgl. *The Illustrated London News,* September 20, 1947, S. 327. Zu Ram Gopal siehe auch Gopal und Dadachanji 1951 sowie Décoret Ahiha 2004. Zu Rukhmeni Devi siehe vor allem Harp Allan 1997, S. 80.

74 Boner 1982, S. 64.

75 Zu Hesses Indienbild siehe besonders Hesse 1980 und Michels 2002. Gedankt sei an dieser Stelle besonders Regina Bucher, Leiterin des Hermann-Hesse-Museums in Montagnola, und Eva Zimmermann, Kuratorin der Ausstellung «‹Ein edler Pantheismus›: Hermann Hesse und die hinduistische Götterwelt», für wertvolle Anregungen und Hinweise, siehe hierzu den gleichnamigen Katalog Zimmermann, Britschgi und Bellentani 2008.

76 Michels 2002, S. 473 f.

77 Hesse 1956, S. 435 f.

78 Hesse 1956, S. 435.

79 Der französische Romancier Romain Rolland (1866–1944) mahnt in seinem Vorwort zu Coomaraswamys *The Dance of Shiva,* dass Europa sich in einer Sackgasse der Arroganz und Unzufriedenheit befindet. Es solle deshalb nach Asien schauen, wo alles harmonisch sei. Alles habe dort seinen Platz in einer wunderschönen Harmonie, siehe Rolland 1952, S. 7.

80 Von der Heydt 1950, S. 6.

81 Buol-Wischenau 1937.

82 Aurobindo 1999, S. 199.

83 Rodin 1921, S. 10.

84 Boner 1982, S. 101. Zum englischen Originaltext siehe «The Symbolic Aspect of Form», in: *The Journal of the Indian Society of Oriental Art,* Bd. 17, 1948, S. 42–50.

85 Tagebuchaufzeichnungen von 1944, zitiert nach Bäumer 1982, S. 72 f.

86 Bäumer 1982, S. 73.

87 Boner 1962, S. 13.

88 Boner, Soni und Soni 1993, S. 97.

89 Siehe hierzu die Orientalismus-Debatte, besonders Said 1991. In jüngster Zeit wurde Edward Said immer wieder für seine einseitigen Analysen kritisiert. Siehe dazu zum Beispiel King 1999, in Bezug auf den exotischen Tanz in Europa Balme und Teibler 1997.

90 Siehe dazu ausführlich Davis 1999, S. 222–259.

91 Siehe hierzu vor allem Matthew Allan Harp 1997 und jüngst Vishwanathan Peterson und Soneji 2008.

92 Im Original heisst es in Goethes *Zahmen Xenien,* die 1780 erstmals veröffentlicht wurden: «An Venus Medicis ruht es in Frieden und am Apoll von Belveder desgleichen; doch sind beide entschieden so geschieden, dass sie sich möchten gar zu gern erreichen. So wird für Gott und Göttin, Mann und Weib die allerhöchste Pflicht zum Zeitvertreib. Doch wo das Gleiche sich mit dem Gleichen wechselt, an einem Körper wunderlich zu schauen. Eins in das andre so hineingedrechselt, da überfällt mich Angst und quälend Grauen. Und also, ein für allemal, der Lingam ist mir ganz fatal!» (Goethe 1980, S. 400).

93 Dubois 2002 (1807), S. 503.

94 Siehe dazu Guha-Thakurta 2002, S. 91 f.

Dort, wo Shiva tanzt

Saskia Kersenboom

Die Geschichte von Shivas Tanz ist eine lange Geschichte, und sie zu erzählen, braucht Zeit; sie zu verstehen, noch mehr. Die folgenden drei Abschnitte beleuchten Shivas geheimnisvolles Wesen und führen gleichsam den Besucher durch die Ausstellung. Für das Verständnis des Textes, aber auch der Ausstellungsobjekte sind zwei Metaphern von zentraler Bedeutung. Beide Metaphern illustrieren hinduistische Vorstellungen von der Entstehung der Welt. Der Lauf der Zeit ist zyklisch, das heisst, dass die Schöpfung, dass Entstehen und Vergehen Abläufe sind, die sich stetig wiederholen. Als unendliche Prozesse laufen sie sowohl im Makrokosmos ab, also im Universum, als auch im Mikrokosmos, bei den Menschen auf der Erde. Um diese zyklischen Veränderungen und Transformationsprozesse zu erklären, arbeiten hinduistische Mythen und Kosmologien mit Metaphern. Zwei sollen hier im Zentrum der Aufmerksamkeit stehen: das Würfelspiel *(kridana)* als Metapher für Zyklen und der Tanz *(nata)* für Transformation.

Natya: Rituelles Drama

Als Nataraja, der «Herr des Tanzes», herrscht Shiva durch die Dynamik der Bewegung. Seine Tanzherrschaft gründet im Gesetz der ständigen Verwandlung. Die Notwendigkeit dieses Prozesses wird im *Natyashastra* umrissen, dem «Handbuch der darstellenden Künste».[1]

Die Entstehung dieses alten Sanskrit-Textes liegt im Dunklen; er wurde der mündlichen Tradition ebenso zugeschrieben wie verschiedenen Verfassern (Einzelpersonen oder Kollektiven, Sterblichen oder mythischen Wesen). Auch über die Datierung herrscht Uneinigkeit. Einige Forscher setzen seine Entstehung einige Jahrhunderte vor der christlichen Ära an, andere einige Jahrhunderte später. Auch die Begriffe *nata* und – davon abgeleitet – *natya* lassen uns im Ungewissen. Beide gehen auf die Sanskrit-Wurzel *nrit* zurück, die «tanzen» bedeutet. Angesichts der vielen Ungewissheiten muss man sich vor Augen halten, dass das *Natyashastra* in erster Linie eine Anleitung zur Tanzpraxis ist. Es vermittelt eine Methode, Aufführungstechniken und die zugrunde liegende Logik, die vor Ort jeweils viele Varianten zulässt. Eine solche Variante ist ein etwa zur selben Zeit entstandenes südindisches Werk, das tamilische *Cilappatikaram*, «Die Macht der Fussspange».[2] Diese beiden frühen Texte öffnen für uns den Vorhang zu Shivas kosmischer Bühne.

Ursprünge

Der Legende zufolge ist das *Natyashastra* folgendermassen entstanden: Eines Tages kamen die Götter mit einem dringenden Anliegen zu Brahma, dem Schöpfergott: Sie sorgten sich um die Qualität ihres Lebens, um die Lebenskraft der Götter, der Menschen und der Natur, kurz gesagt, um das Wohlergehen der gesamten Schöpfung. Dazu muss man wissen, dass die indische Kosmologie zyklisch angelegt ist: An einem einzigen Tag im Leben Brahmas vollzieht sich ein kompletter Zyklus aus Entstehen und Vergehen der Welt. Während des Tages entwickelt sich aus göttlicher, transzendentaler und nicht manifester Substanz das Universum, in der Nacht löst es sich wieder auf.[3] Diese zyklische Logik ist nicht nur die Basis für hinduistische Kosmologien, sondern auch für Rituale und Feste. Mittels einer komplexen Abfolge konzentrischer Kreise wird die Zeit in immer kleinere Einheiten unterteilt. Im Makrokosmos ebenso wie im Mikrokosmos wiederholen sich immer wieder dieselben komplementären Gegensätze von Tag und Nacht, von Schöpfung und Zerstörung.

Als die Götter nun mit ihrer Beschwerde zu Brahma kamen, befand sich die Welt gerade im zweiten Kreislauf *(yuga)* beziehungsweise Weltzeitalter innerhalb eines grossen Zyklus. Jeder grosse Zyklus enthält jeweils vier kleinere Kreisläufe. Diese «Unterzyklen» gehorchen den Regeln eines kosmischen Spiels, das Shiva und seine Gattin Parvati spielen. Mit der Göttin entscheidet Shiva, dessen Wesen Spiel ist (Skr. *lilatman*), über das Weltgeschehen, Ton und Stimmung der Weltzeitalter und ihrer Kreisläufe.

Eine Passage aus dem *Skandapurana* beschreibt dieses Spiel sehr anschaulich, das am ehesten mit einer Art «Mensch, ärgere dich nicht» oder «Eile mit Weile» verglichen werden kann: Es heisst dort, dass einst der Götterbote Narada sich auf den Berg Kailasa begab, dem Wohnsitz der Götter im Himalaya. Er fand dort Shiva und Parvati vor, wie sie völlig vertieft in ihr Würfelspiel das Werden und Vergehen der Schöpfung bestimmten. An Shiva gewandt, rief Narada: «Gott der Götter, Euer Spiel ist der gesamte Kosmos. Die Quadrate auf dem Spielbrett sind die zwölf Monate. Die Spielsteine sind die dreissig Mondtage – das Beleuchtete und Nichtbeleuchtete, das Schwarze und Nichtschwarze. Die beiden Würfel sind die Sommer- und Winterbahn der Sonne. Entfaltung und Auflösung sind die beiden möglichen Spielergebnisse [...]. Wenn die Göttin gewinnt, bedeutet das Entfaltung; wenn Shiva gewinnt, bedeutet es Auflösung. Das Spiel unterliegt festen Regeln. Deshalb sage ich: ‹Alles ist Spiel – dieser ganze Kosmos, der euch beiden gehört›.»[4]

Der erste Wurf im Spiel war eine «vier». Es ist ein «glücklicher» Wurf: Im sogenannten «Viererwurf-Zeitalter» (Skr. *kritayuga*) befindet sich das gesamte Universum in perfekter Harmonie. Die kosmische Ordnung wird durch die vedischen Opfer gestützt.[5] Der Rauch der Opferfeuer trägt die Opfer zu den unsichtbaren Göttern, die weit entfernt in ihrer eigenen göttlichen Welt leben. Alle gegensätzlichen Pole wie Götter und Dämonen (Skr. *asura*, wörtlich «Antigott»), Tag und Nacht, Geburt und Tod, männlich und weiblich, alles befindet sich in friedlichem Gleichgewicht.

Dann macht Shiva einen neuen Wurf. Der nächste Wurf ist «drei» und bringt das «Dreierwurf-Zeitalter» (Skr. *tretayuga*). Dieses Zeitalter ist weniger glücklich, Risse entstehen im bestehenden Gleichgewicht zwischen Göttern, Menschen und Antigöttern. Die kosmische Ordnung ähnelt dem Dorfleben. Sie wird von Leidenschaft und Gier beherrscht. Die Menschen sind neidisch und werden schnell zornig. Das Glück hat die Oberhand verloren, sein Gegenstück «Leid» kommt ins Spiel. Die Götter, Antigötter und Menschen verlassen ihre Wohnsitze und bewegen sich zwischen den drei verschiedenen Welten hin und her und bringen das Gleichgewicht durcheinander. Auch die Form der Götterverehrung ändert sich entscheidend zum vorhergehenden Weltzeitalter: Erhielten die Götter ihre Ehrungen vorher durch vedische Opferfeuer, so müssen sie nun auf die Erde herabsteigen, um sich dort verehren zu lassen.

Das Würfelspiel hat noch zwei weitere Würfe: im «Zweiwurf-Zeitalter» (Skr. *dvaparayuga*) kommt es zu einer weiterer Destabilisierung. Schliesslich kommt der Unglückswurf «eins»: In diesem letzten der vier Weltzeitalter, dem «Einswurf-Zeitalter» (Skr. *kaliyuga*), wendet sich schliesslich das Leben gegen sich selbst. Mit dem nächsten Wurf beginnt der Zyklus wieder von vorne.

Nach hinduistischer Auffassung befinden wir uns übrigens gerade im unglücklichen «Einswurf-Zeitalter». Hier ist nicht der Ort, über mögliche Anzeichen für den Untergang der Welt zu spekulieren. Kehren wir lieber zurück zur Entstehung des *Natyashastra*. Das *Natyashastra* berichtet, dass die Götter im zweiten Weltzeitalter innerhalb eines grossen Zyklus, also im «Dreiwurf-Zeitalter», zu Brahma kamen und ihn um ein Spiel (Skr. *kridaniya*) baten. Diese neue Zeit, in der die Menschen, Antigötter und Götter ihren Leidenschaften nachgehen, forderte ein neues religiöses Medium. Die Götter wollten einen neuen Veda, den man erfahren, also nicht nur hören, sondern auch sehen könne. Zudem müsse dieser Veda allen Menschen offenstehen. Das Hören der Veden war ja bisher den drei höheren Ständen (Brahmanen, Kshatriyas und Vaishyas) vorbehalten. Ein neuer Veda müsste ebenfalls die Shudras einbeziehen.

Brahma dachte nach. Gerne wollte er ihrem Wunsch nachkommen. Dazu griff er auf die sinnlich wahrnehmbaren Elemente in den vier Veden zurück: die Rezitation aus dem *Rigveda*, das Singen aus dem *Samaveda*, den dramatischen Ausdruck aus dem *Yajurveda* und das Gefühl aus dem *Atharvaveda*. Aus diesen vier Ausdrucksformen schuf er einen zusätzlichen, fünften Veda. Er nannte ihn *Natyaveda*, «Veda des rituellen Dramas». Dieser Veda sollte in Theateraufführungen zur Anwendung kommen. Er sollte dazu anleiten, die heiligen altehrwürdigen Geschichten aufzuführen. Ein sinnlich wahrnehmbares Schauspiel war etwas ganz anderes als die Veden, die man nur hören konnte. Damit bildet das *Natyashastra* einen Gegenpol zur bilderlosen, abstrakten Tradition der Veden.

Bharatas erste Aufführung

Die Frage, die sich nun stellte, lautete: Wer soll das Schauspiel aufführen? Der Götterkönig Indra wies Brahma darauf hin, dass die Götter weder unparteiisch seien noch fähig, den *Natyaveda* aufzuführen. Daraufhin beschloss Brahma, den Weisen Bharata im fünften Veda zu unterweisen. Er vertraute auf Bharatas didaktischen Fähigkeiten. Der Weise hatte einhundert Söhne, denen er die Methoden und Techniken des *Natyaveda* nun beibringen sollte. Das war der Ursprung des *Natyashastra:* Mit einer Verbeugung vor Brahma und Shiva legte nun Bharata systematisch den Inhalt des fünften Veda dar.[6]

Bharata lehrte seine Söhne, im hohen Stil, also beredt, gelehrt und heldenhaft, aufzutreten. Als Brahma das Ergebnis begutachtete, fand er jedoch, dass etwas fehle. Er vermisste das lyrische, weibliche Gefühl (Skr. *kaishiki*). Brahma riet deshalb Bharata und seinen Söhnen, dieses Element in das Schauspiel aufzunehmen. Bharata erinnerte sich, dass er diesen anmutigen Tanzstil schon einmal gesehen hatte, denn Shiva hatte ihn in seiner Form als «Blauhals» aufgeführt.[7] Aber Bharata verstand, dass Männer diesen anmutigen Tanz nicht ohne die Hilfe von Frauen angemessen ausführen können. Und er erschuf aus seinem feurigen Glanz dreiundzwanzig schöne Nymphen.[8] Für die erste Aufführung rief er dann zu den Nymphen noch himmlische Musiker hinzu. Das weibliche Prinzip, die Welt der Emotionen, vor allem der Erotik (Skr. *shringara*) und der Verzauberung, waren somit im Schauspiel verankert.

Zunächst mussten noch Ort und Zeit sowie ein passendes Thema festgelegt werden. Brahma schlug das Fest zu Ehren von Indras Fahnenstange vor.[9] Dieses Fest wurde im Gedenken an den Sieg der Götter über die Antigötter abgehalten. Es wird bis heute in Indien als Prototyp eines Frühlingsfestes unter dem Namen Brahmotsava, zu Deutsch «Fest des Brahma», begangen. Schon im *Cilappatikaram* hören wir von diesem Fest und wie es damals in Pukar, der alten Hauptstadt des Königs Karikkalacholan, gefeiert wurde: Die Stadt wurde dafür in zwei Hälften geteilt, in die Lager der «Götter» und «Antigötter». In der Mitte zwischen beiden Lagern führten Tänzer wilde Tänze auf, nachdem sie zuvor verschiedene Opfergaben wie Getreidekörner, Sesambällchen, Reis mit Fett, Blumen, Weihrauch und süssen Reis an die Schutzgottheiten verteilt hatten. Dann wetteiferten beide Seiten darum, dem «König des siegreichen Speers und Herrn der Götter» die schauderhaftesten Opfer darzubringen, um alles Übel von ihm fernzuhalten.

Doch zurück zu Bharata und seiner Aufführung. Er hatte inzwischen Lobpreisungen und wortgewaltige Verse vorbereitet, dazu eine mitreissende Vorführung, die die Vernichtung der verschiedenen Dämonen zeigte. Unter viel Geschrei stellten die Akteure dar, wie die Feinde bekämpft und verstümmelt wurden. Die Götter waren begeistert von der Vorführung und beschenkten die Schauspieler zum Dank reichlich. Brahma war hocherfreut.

Obwohl nicht eingeladen, waren die Dämonen ebenfalls zu diesem Schauspiel gekommen. Sie hatten von bösartigen Geistern davon erfahren, die jedem Vorhaben Hindernisse in den Weg legen. Irgendwann hatten sie allerdings genug von ihrer öffentlichen Demütigung. Ihr Anführer Virupaksha, «der mit den hässlichen Augen», protestierte aufgebracht: «Ich werde dafür sorgen, dass dieses Schauspiel auf keinen Fall Wirklichkeit wird!» Er lähmte die Schauspieler und ihren Regisseur, schlug sie mit Stummheit und stahl ihnen ihr Gedächtnis. In der Folge kam das Schauspiel fast völlig zum Erliegen, bis Indra, der Götterkönig, eingriff. Mit blitzenden Augen nahm er seine Fahnenstange und zerschmetterte die Dämonen und boshaften Geister. Die Götter reagierten erleichtert und dankten Indra für sein promptes Eingreifen. Sie beschlossen, die Fahnenstange fortan zum festen Bestandteil jedes Schauspiels zu machen. Sie solle lästige Spielverderber fernhalten. Deshalb wird bis zum heutigen Tage vor dem Beginn eines Festes ein Banner an der Fahnenstange eines Tempels gehisst.

Trotz Indras erfolgreichem Angriff kehrten die Dämonen im Laufe von Bharatas Vorführung zurück. Sie verbreiteten Angst und Schrecken unter den Schauspielern. Bharata war angesichts der Zwischenfälle bei seinem ersten Schauspiel beunruhigt. Da er um das Wohlergehen seiner Söhne fürchtete, bat er Brahma um Abhilfe.

Brahma fand eine doppelte Lösung. Zunächst einmal sollte der göttliche Architekt Vishvakarma (Skr. «Allesmacher») ein festes Schauspielhaus bauen. Schutzgottheiten sollten die Aussenwände, der Mond das Dach und die Urwasser das Fundament beschützen. (Siehe Kat. 8 und 55). Die Torhüter mit Namen Schicksal (Skr. *niyati*) und Tod (Skr. *mrityu*) würden die Eingänge des Gebäudes bewachen, hinter denen sich die zentrale Bühne befände. Weiterhin hätten alle, Götter und Dämonen, ihre festgelegten Plätze im Schauspielhaus. Niemand sollte ausgeschlossen sein. Brahma entwarf schliesslich auch den Ablauf der notwendigen Vorbereitungsriten, die alle bösartigen Geister besänftigen sollten: Musik, Tanz und Kreisgänge sollten den Erfolg der Aufführung garantieren.

Dann forderte Brahma Virupaksha und seine Dämonen auf, ihre Klagen erneut vorzubringen. Virupaksha kritisierte, der neue Veda favorisiere nach wie vor unverhohlen die Götter. Brahma als Schöpfergott hätte die Dämonen ebenfalls berücksichtigen müssen. Daraufhin besänftigte Brahma den Anführer der Antigötter mit folgenden Worten: «Um Glück und Unglück gerecht zuzuteilen [...], habe ich einen *Natyaveda* komponiert.»[10] Die Aufführung eines Dramas, so Brahma, teile nicht nur Glück und Unglück gerecht zu, sie vertrete auch alle Parteien gleichermassen. Alle Geschehnisse in allen drei Welten, der der Dämonen, der Götter und der Menschen, würden gleichsam gefeiert werden. Das Schauspiel sei allumfassend, es verhindere das Auseinanderfallen der Einzelnen und unterstütze damit die kosmische Ordnung.

Der rituelle Rahmen

Das erste Publikum war zu homogen gewesen – es hatte nur aus Göttern bestanden und die Antigötter ausgeschlossen. Eine solche Ausgrenzung funktioniert im kosmischen Rahmen nicht, sie produziert zwangsläufig ungewünschte Zuschauer. Die ungeladenen Antigötter brachten mithilfe der bösartigen Geister das Schauspiel fast zum Abbruch. Der Einschluss der «anderen», so wurde klar, war eine wichtige Voraussetzung für den Erfolg. Das Schauspiel bedarf also eines gemischten Publikums. Zur Erinnerung an diese Lektion wird auch heute noch vor jeder Unternehmung der elefantenköpfige Gott Ganesha verehrt. Denn er ist der «Überwinder der Hindernisse».[11]

Doch nicht nur das Publikum des ersten Schauspiels war allzu handverlesen, auch das Thema wies einen ähnlichen Mangel auf: Ausgelassenes Feiern auf Kosten anderer ist gefährlich, dies auch noch im Freien zu tun, verhängnisvoll. Der Kulturhistoriker Johan Huizinga machte in seiner Arbeit über «sakrale Spiele» deutlich, wie wichtig es ist, dem Sakralen einen bestimmten Rahmen in Raum und Zeit zu geben.[12]

Entscheidend für den Erfolg eines Schauspiels sind die vorbereitenden Riten für Gebäude, Bühne und Aufführung. Der erste Ratschlag von Brahma unterstreicht, wie unerlässlich eine *puja* für eine Theateraufführung ist[13]: «Führe im *Natya*-Pavillon verschiedene Opfer aus. [...] Es ist nicht erlaubt, eine Theatervorstellung ohne eine vorherige *puja* aufzuführen. Wer eine Theatervorstellung ohne *puja* auf die Bühne bringt, wird bemerken, dass all seine Kunstfertigkeit fruchtlos bleibt, und er wird gar als niederes Tier wiedergeboren werden. [...] Der Schauspieler oder Mäzen, der keine *puja* darbringt, wird einen Misserfolg erleben. Doch derjenige, der es in der richtigen Weise und der Tradition gemäss darbringt, dem wird Glück, Wohlstand und sogar der Himmel beschieden sein. Deshalb bringe eine *puja* für die Bühne dar.»[14]

Zu einer *puja* gehören eine Reihe von Zutaten: ein vorbereitendes Speiseopfer, ein Feueropfer, heilige Texte, Heilkräuter und diverse Flüssigkeiten. Die Opfergaben, die heute in den Tempeln den Göttern dargebracht werden, unterscheiden sich kaum von denen von vor zweitausend Jahren. Allerdings haben heute Lampen das Opferfeuer weitgehend ersetzt.

Neueren Datums sind sicher die sorgfältig austarierten Beziehungen zwischen dem Opferndem und seinen Gaben für eine *puja*.[15] Allen fünf menschlichen Sinnen – Hören, Berühren, Sehen, Schmecken und Riechen – werden Opfergaben dargebracht: Gesang oder Rezitation für die Ohren, Zufächern von kühler Luft und kühlende Substanzen für die Haut, Lampen für das Auge, rohe und gekochte Speisen und Getränke für die Zunge sowie Weihrauch und Blumen für die Nase. Die fünf Sinne Sehen, Hören, Riechen, Schmecken und Fühlen entsprechen, so glaubt man, den fünf Elementen der Natur: Raum (Äther), Wind, Feuer, Wasser und Erde. Sinne und Elemente stehen dabei in engem Zusammenhang: Der Äther ermöglicht den Klang, die Luft erleichtert die Berührung, das Feuer bringt Sichtbarkeit, das Wasser trägt den Geschmack, und die Erde hält den Geruch fest. Fügt man zu den fünf Elementen beziehungsweise Sinnen den Darbringer des Opfers sowie die zwei Schutzlichter Sonne und Mond hinzu, erhält man eine Achtergruppe. Diese «Acht» ist ein weiterer Beiname Shivas, denn er verkörpert dieses achtteilige Netzwerk.[16]

Bharata nahm alle Anweisungen Brahmas auf und suchte nach einer neuen Aufführung, einem neuen Schauspiel mit neuem Thema. Brahma schlug Bharata die berühmte Geschichte vom Quirlen des Milchozeans vor. Diese Geschichte enthielte ja alle wichtigen Themen: Ordnung (Skr. *dharma*), Leidenschaft (Skr. *kama*), Wohlstand (Skr. *artha*) und Weisheit (Skr. *sadhaka*).[17] Brahma riet Bharata auch, dieses neue Schauspiel vor Shiva aufzuführen, dem Gott «mit dem dritten Auge», der «mit dem Banner des Stiers geehrt wird».[18]

Shiva war einverstanden, sich die Vorführung anzusehen. Sie fand zu Sonnenuntergang im Himalaya statt, dort, wo viele grosse und kleinere Götter wohnten.[19] Zwei Stücke kamen zur Aufführung: das *Tripuradahana*, «die Vernichtung der drei Städte durch Shiva», und die bereits erwähnte Geschichte vom Quirlen des Ozeans. Beide Stücke thematisieren den Kampf gegen die Antigötter, die dunklen Kräfte, die während einer Nacht, also der Periode des Auflösens und des Dunkels, zum Vorschein kommen.

Die Aufführung war sehr erfolgreich. Alle schienen glücklich. Doch Shiva sehnte sich nach schönen, reinen und abstrakten Tänzen, die aus verschiedenen «Bewegungssequenzen» (Skr. *angaharas*) und «Übergängen» (Skr. *karanas*) zusammengesetzt sind. Als Brahma Shivas Wunsch vernahm, wurde er neugierig und wollte mehr über diese Sequenzen erfahren. Shiva, der «Beste unter den Göttern», rief nun den alten Weisen Tandu zu sich und trug ihm auf, Bharata entsprechend zu unterweisen.

Tandus Unterweisung

Shiva hatte einst diese Bewegungssequenzen mit Hand- und Fuss-Koordination und ihre Kombinationen erfunden. Dazu hatte er ein vorbereitendes Basistraining entwickelt, in dem Füsse, Taille, Hand und Hals für den Tanz beweglich und frei gemacht werden. In all dem hatte Shiva den Musiker Tandu unterwiesen, der dann seinerseits diese Lehre durch Vokal- und Instrumentalmusik erweiterte. Seitdem ist dieser Tanztyp unter dem Namen *tandava* bekannt.[20] Die Unterteilung von 32 Bewegungssequenzen in 108 Posen von Hand und Arm, koordiniert mit Bein- und Fussarbeit und den entsprechenden Übergängen, ist aus der Perspektive heutiger Tanztechnik interessant.[21]

Tandu erklärte nun seinerseits Bharata, wie dieser seine Tanzausbildung anwenden könne. Ein Beispiel sei der gemeinsame Tanz von Gott und Göttin: Als Parvati Shiva seine komplexen, bedeutungsvollen Tänze tanzen sah, fing sie selbst auf ihre Weise an zu tanzen, in ihrem eigenen, sanften Stil. Der gemeinsame Tanz der beiden ist nicht immer harmonisch und entwickelt sich zuweilen sogar zu einem ehrgeizigen Wettkampf.[22] Der männliche *Tandava*-Tanz gehört zum Genre des heroischen Tanzes, in dem es häufig um Kampf, Aggression und Sieg geht. Der sanfte *Sukumara*-Tanz dagegen entspricht dem Thema der Liebe zwischen Mann und Frau und hat seinen Ursprung in der Erotik. Der *Tandava*-Tanz hingegen hat seinen Platz in Schutzritualen und kosmischen Prozessen: Am Ende eines Weltzeitalters tanzt Shiva, er tritt die Felsen mit den Füssen, und er bringt die See in Wallung, die alle Kreaturen enthält. Dieser Tanz bringt lang andauerndes Glück.[23]

Zurück zu Tandus Unterweisung: Shivas Diener Nandi (siehe Kat. 9, 10, 21, 67) und Bhadramukha fassten die von Tandu aufgezählten Tänze zu einzelnen Choreografien zusammen, die sie nach Göttern benannten.[24] Aber die Menge und Komplexität dieser Informationen blieb für alle verwirrend. Was waren Zweck und Bedeutung des abstrakten, reinen Tanzes (Skr. *nrita*) im Gegensatz zur gewohnten figurativen, nachahmenden Interpretation eines Textes (Skr. *abhinaya*)? Es war nun an Bharata zu erklären, dass der abstrakte Tanz «Schönheit» vermittle und deshalb eine Glück bringende Wirkung habe. Dieser Tanz gefalle allen, und das zu allen Zeiten. Er sei verheissungsvoll und wichtig für Anlässe wie Heirat, die Geburt eines Kindes oder die Aufnahme des Schwiegersohnes in die Familie. Dieser Tanz bringe Freude und Wohlstand. Demgegenüber sei der sanfte *Sukumara*-Tanz aus der Erotik (Skr. *shringara*) entstanden. Wenn ein Gott verehrt wird, dann sollte man dem *tandava* folgen, während beim Besingen der Liebe zwischen Mann und Frau der *Sukumara*-Tanz angemessen sei.

Halten wir die wichtigsten Regeln fest, die bei einer Aufführung des fünften Veda zu beachten sind: Zunächst müssen Eröffnung und Anlass des Schauspiels angekündigt werden. Dabei ist zu unterscheiden, ob es um Götter geht, die von Göttern dargestellt werden, oder um Menschen, die von Menschen repräsentiert werden, oder um die Vermischung göttlicher und menschlicher Züge in einem Gott oder einem Menschen. Dann müssen die Vorbereitungsriten, die der gewünschten dramatischen Verkörperung entsprechen, richtig vollzogen werden. Werden diese Regeln eingehalten, wird niemandem ein Unheil widerfahren. Im Gegenteil, er wird den Himmel erreichen. Wer jedoch diese Regeln des *Natyashastra* nicht beachtet, der wird einen grossen Misserfolg erleben und als niedere Kreatur wiedergeboren. Bharata warnte: «Ein von einem starken Wind angefachtes Feuer brennt nicht so schnell wie eine falsch ausgeführte Theatervorstellung.»[25]

AYANAM: Der Lauf der Zeit

Das göttliche Würfelbrett *cokkattan* ist eine Metapher für zyklischen Lauf der Zeit.[26] Auf dem Spielfeld kreuzen sich eine horizontale und eine vertikale Achse, in der Mitte befindet sich ein leeres Feld. Es ergeben sich also vier Arme, die jeweils in drei Reihen zu je acht quadratischen, abwechselnd schwarzen und weissen Feldern aufgeteilt sind. Jeder Arm steht für die zwölf Monate mit ihren dunklen und hellen Hälften. Shiva und Parvati bewegen ihre Steine gegen den Uhrzeigersinn je nach Ergebnis des Würfelwurfs. Das Würfelpaar steht für die Sommer- und Winterbahn der Sonne (Tam. *ayanam*). Wenn die Göttin gewinnt, dehnt sich die Schöpfung aus, wenn Shiva gewinnt, zieht sie sich zusammen und in ihren Ursprung zurück.[27]

Zwar unterliegt das Spiel feststehenden Regeln, doch existieren auch variable Elemente. Täuschung und geschickte Manipulation sind möglich, und genau darin versuchen sich die Götter. Shiva mogelt, doch Parvati ebenfalls. Schliesslich gewinnt immer sie: Am Ende triumphiert das Leben über den Tod. Shiva spielt um all seine Schätze, die ihn besonders auszeichnen: seine Ohrringe, die Mondsichel in seinem Haar (siehe Kat. 18 und 22), ja selbst um seinen Stier Nandi. Er verliert alles an seine Frau Parvati. Wütend und deprimiert (siehe Kat. 56 und 57) macht er sich zu einsamen Orten auf, wo er für sich sein, meditieren und die Kontrolle zurückgewinnen kann. In solchen Zeiten scheint die kosmische Ordnung zu zersplittern, und andere, dämonische Kräfte verbünden sich, um die Macht zu übernehmen.

Warum haben die Götter das Spiel überhaupt begonnen? Hier kommt wieder der eingangs erwähnte Narada ins Spiel, der einst auf den Berg Kailasa gegangen war, um Shiva zu treffen. Nachdem er Shiva und Parvati gepriesen hatte, sah er, dass die Göttin die Hälfte des Körpers von Shiva bewohnte. Shiva fragte den Weisen, was er wünsche, und Narada sprach: «Ich kam wegen eines Spiels.» «An welches Spiel denkst du?», fragte ihn Parvati. Narada antwortete: «Das Würfelspiel hat viele Formen – und ihr beiden mögt es wohl unterhaltender finden als die Liebe.»[28]

Das Schicksal des göttlichen Paares kreist um ihre erotische Verwicklung, ob sie nun beide in einem androgynen Körper vereint (Skr. *ardhanarishvara*, «der Herr, der zu Hälfte eine Frau ist», vgl. Kat. 14) oder getrennt sind und sich stets nach ihrer ursprünglichen Vereinigung sehnen. Die Lebensgrundlage ihres «halb Frau, halb Mann»-Seins ist Eros (Skr. *shringara*). Es geht also in dem Spiel um Trennung und Wiedervereinung der beiden Partner.

Wie wirken sich ihre Vereinigung, ihre Streitigkeiten, ihre Trennung und ihre Sehnsucht auf die Welt der Sterblichen aus? Ihr göttliches Spiel kann zwar nur aus weiter Ferne verfolgt werden. Aber die Menschen können mit wohlgeplanten Riten in den Verlauf der Zeit eingreifen. Der

Lauf der Zeit fordert ständige Aufmerksamkeit, sowohl im Privatleben als auch in der Öffentlichkeit: In den meisten südindischen Haushalten findet man an einem zentralen Platz neben dem Hausaltar einen ausserordentlich komplizierten Kalender. Dieser zeigt nicht nur das Jahr, den Monat, die Woche und den Tag an, sondern auch die wichtigsten Daten des kosmischen Almanachs (Tam. *pancankam,* «fünf Glieder»): Aus fünf Koordinaten der Sonnen- und Mondtage eines Monats, der Sterne und ihrer Konstellationen ergeben sich ganz bestimmte Gelegenheiten oder Hindernisse. Sie müssen bei jedem Vorhaben, jeder Entscheidung oder Tat bedacht werden. Kein Tag vergeht, an dem dieser Almanach nicht konsultiert wird. Der Mikrokosmos des menschlichen Körpers mit seinen Übergangsriten zu Empfängnis, Geburt, Hochzeit und schliesslich sogar zum Tod entspricht dem Makrokosmos der Götter, Antigötter und der gesamten Schöpfung. Der Zusammenhang beider Welten ist entscheidend für die Lebensqualität.

Mikro- und Makrokosmos treffen in einem gemeinsamen Mittelpunkt aufeinander. Das ist der Tempel, in dem Götter und Sterbliche sich in wechselseitiger Abhängigkeit immer wieder gegenseitig neu beleben. Der Abstieg der Götter zu den Sterblichen im rituellen Drama folgt dem Auf und Ab im göttlichen Spiel. Die beiden Bahnen der Sonne bilden die Bühne: Nach der Wintersonnenwende gewinnt die Sonne an Kraft und bewegt sich gen Norden. Im Juni wendet sie sich nach Süden und verliert an Kraft, während sie von ihrem Zenit zu ihrem tiefsten Punkt hinuntersteigt.

Die nördliche Bahn

In den sechs Monaten nach dem tiefsten Stand der Sonne dehnt sich die Schöpfung aus. Die kosmische Ordnung zeigt ihre schönsten Seiten: Das göttliche Paar wird (wieder) verheiratet und geniesst das Eheleben, und da die dunklen Mächte jetzt gebannt sind, bewegen sich grosse Prozessionen mit Bildnissen der göttlichen Familie frei durch die Dörfer und Städte (siehe Kat. 34, 78 und 83). Die Götter sind in ihrer eigenen Welt fest etabliert und feiern ihre Herrschaft über die Antigötter. Einige Themen drängen nun in den Vordergrund:

Ernte und Hochzeit Das erste Zeichen des Aufschwungs ist der neue Reis im Mondmonat *tai* (Mitte Januar bis Mitte Februar unseres gregorianischen Kalenders). Die Häuser werden weiss getüncht und alte Kleider verbrannt. Der erste Reis wird in neuen Tontöpfen gekocht. In den Höfen und Gärten oder auf den Veranden errichten die Bewohner Altäre. Sie malen farbenprächtige Bilder des Sonnenwagens auf den Boden und stellen frisch geschnittenes Zuckerrohr, die üblichen *Puja*-Opfergaben, Ritualgeräte und den gerade geernteten Reis darauf. Das Fest ist nach der wichtigsten Opfergabe, dem süssen *Ponkal*-Reis, benannt und dauert drei Tage. Wenn der Reis überkocht, rufen Familie und Freunde *«ponkalo [...] ponkal!»*. Der erste Tag ist dem neuen Reis gewidmet, der zweite den Kühen und der dritte deren Kälbern.

Diese glückliche Zeit ist bestens geeignet, um Ehen zu schliessen. Auch die Götter heiraten. Shivas Sohn Murugan (Tam. auch Murukan, Skr. Subrahmanya, Karttikeya oder Skanda, siehe Kat. 38 und 39), heiratet seine zweite Frau Valli am achten Tag eines zehntägigen Festes. An allen zehn Tagen finden grosse Prozessionen statt; jeder Tag zeichnet sich durch ein besonderes «Reittier» aus, auf dem Murugan reist. Bis zur Unabhängigkeit Indiens im Jahre 1947 führten Tempeltänzerinnen (Skr. *devadasis,* «Dienerinnen Gottes») ausgewählte Episoden der Liebesgeschichte zwischen Murugan und seiner Geliebten auf.[29] Zu Hause werden junge Neuvermählte von ihren Verwandten geehrt, und die Familien gedenken verstorbener Eheleute.

Im folgenden Monat *maci* (Mitte Februar bis Mitte März) erinnert man sich beim nächtlichen *Shivaratri*-Fest, mit dem «Shivas Nacht» zelebriert wird, der Ahnen und feiert Shivas Macht über das Leben in seinem «aufgelösten» Zustand (deshalb dürfen in dieser Zeit auch keine Ehen geschlossen werden). In dieser Nacht gibt es bis zum Morgen Rezitationen, Musik, Theater und Tanz, und es werden verschiedene Würfelspiele gespielt. Im Shiva-Tempel von Chidambaram veranstalten weltliche, moderne Tänzer die ganze Nacht hindurch ein Fest zu Ehren des Nataraja, des «Königs unter den Tänzern».

Neue günstige Gelegenheiten zur Eheschliessung kommen erst wieder im tamilischen Monat *pankuni* (Mitte März bis Mitte April). Denn dann wird die Hochzeit von Shiva und Parvati mit grossem Aufwand gefeiert, besonders in der Tempelstadt Madurai.

Die Legenden im *Tiruvilaiyatalpuranam* überliefern diesbezüglich eine bemerkenswerte Geschichte.[50] Shivas Gattin Parvati trägt in Madurai den Namen Minakshi, «die Fischäugige». Von ihr wird folgende Geschichte erzählt: Es heisst, dass sie nicht immer eine Göttin war, sondern dass sie als Prinzessin Tatatakai zur Welt kam. Sie war die Tochter eines Königs, der ein Feueropfer dargebracht hatte, um einen Sohn zu erhalten. Ihm wurde zwar ein Kind geboren, doch es war nicht der erhoffte Sohn, sondern ein Mädchen. Das Schicksal Tatatakais war es fortan, die Sohnesrolle zu spielen, zu herrschen und Kriege zu führen. Nicht allein ihre Tapferkeit unterschied sie von den übrigen Frauen. Eine dritte Brust schmückte ihre schöne Gestalt. Man hatte ihr vorhergesagt, dass diese erstaunliche dritte Brust, die zwischen den beiden anderen sass, in dem Augenblick verschwände, in dem sie ihren künftigen Ehemann erblickte. Bei einem ihrer Feldzüge in den Nordosten erschien Shiva als Sundareshvara, als der «schöne Herr», und die mittlere Brust bildete sich zurück. Man feiert ihre Hochzeit, wenn der Stern *uttiram* am Himmel erscheint. Alle Götter waren in Madurai anwesend, als Vishnu dem schönen Bräutigam Shiva die Braut zuführte (siehe Kat. 27, 68, 69).

Ordnung und Wohlstand Die Aufteilung des Jahres in zwei Hälften wird von der Abfolge der Jahreszeiten durchbrochen. In literarischen Quellen ist von sechs Jahreszeiten die Rede, die jeweils zwei Monate dauern. Im Dorfleben werden jedoch nur fünf Jahreszeiten unterschieden. Letzten Endes zählt jedoch nur die ununterbrochene Kette des Säens und Erntens von Reis zweimal im Jahr, mit einer einmaligen Ruhezeit der Felder, der Wechsel von Trockenheit und Monsunregen und die Abfolge von nassem, kaltem, mildem und heissem Wetter. Alle Ansichten zum Jahreslauf stimmen jedenfalls in folgenden drei Punkten überein: den beiden Sonnenbahnen (der nördlichen und der südlichen, siehe auch weiter unten), dem Beginn des neuen Jahres im Monat *cittirai* (Mitte April und Mitte Mai) und dem in dieser Zeit stattfindenden grossen Brahma- beziehungsweise Frühlingsfest.

Brahma bedeutet wörtlich «Wachstum», «Ausdehnung», «Entwicklung»; der dahinterliegende Wortstamm lässt sich mit «Zunahme», «dick sein», «gross oder stark werden» übersetzen. Beim Brahma-Fest werden die Götter auf dem Höhepunkt ihrer Macht gefeiert, es ist berühmt für seine Grösse und Pracht. Das *Kumaratantra,* eines der beliebten *agamas* (grundlegende Handbücher für Zeremonien), die in den Tempeln von Tamil Nadu noch heute benutzt werden, unterscheidet drei Kategorien von Prozessionen oder *utsava:* a) die monatliche Routine, b) den grossen Umzug und c) die von einzelnen Gläubigen arrangierte Prozession. Das Sanskrit-Wort *utsava* stammt aus der Wurzel *ut-su,* was so viel wie «zum Wachstum nach oben bewegen», «aufrühren, wecken»

bedeutet. Diese «vegetative Logik», die dem gesamten Ereignis zugrunde liegt, wird noch deutlicher, wenn wir seine einzelnen Etappen näher betrachten.[51]
Dem *Kumaratantra* zufolge entwickelt sich eine Prozession entlang von drei Strängen: «Schöpfung», «Verfestigung» und «Rückzug». Immer wieder finden wir dieselben Begriffe bei der Beschreibung kosmischer Prozesse, bei den Lebensphasen ebenso wie der rituellen Verehrung. Das *Kumaratantra* nennt für eine vollständige Prozession sechzehn Etappen.[52] Diese Etappen können in acht Hauptabschnitte unterteilt werden:

1. Vorbereitung des Ortes, 2. Trommelschlag und Hissen des Gottesbanners, 3. bereiten eines sicheren Sitzes für die Götter, 4. grosse Prozession im Uhrzeigersinn, 5. Zurschaustellen der göttlichen Pracht, 6. Reinigung von bösen Einflüssen, die sich an die Götter gehaftet haben können, 7. Rückzug der Prozession zu ihrem Ausgangspunkt und 8. Glück bringende Schlusswaschung.

Der spektakuläre Höhepunkt eines grossen Festes ist die langsame Prozession des göttlichen Paars in seinem riesigen, hölzernen Tempelwagen (siehe Kat. 52–66). Im Wagen umfährt das Götterpaar den Tempel, bekräftigt dadurch die kosmische Ordnung und festigt seine Herrschaft. Dieses glanzvolle Fest findet zu einer Zeit statt, in der gewöhnlich Trockenheit droht, und wird daher auch als Weg betrachtet, um Regenfälle zu stimulieren.[53]

Der Wendepunkt Das Neujahr fällt in die «Frühling» (Skr. *vasanta*) genannte Jahreszeit und steht am Beginn von zwei sehr trockenen und heissen Monaten. In dieser Zeit wird kein Reis gesät oder geerntet. Im Monat *vaikkaci*, also in der Zeit zwischen Mitte Mai und Juni, steht die Natur an der Schwelle zu einer Veränderung. Die grossen Tempel feiern ein Frühlingsfest, das sich durch den Überfluss von Gesang und Tanz der *devadasis* auszeichnete. Bei diesem Ereignis reist Shiva auf seinem «Elefantensitz», der ihn mit Indra, dem Gott des Regens, verbindet. Viel hängt von der glücklichen Vereinigung des göttlichen Paares ab, das mit einer noch ausgefeilteren Festzeremonie als üblich in seine Schlafkammer geführt wird.[54] In den Dörfern wendet man sich bei Trockenheit an andere Gottheiten wie die Muttergöttinnen oder an Dharmaputra, den «Sohn der kosmischen Ordnung».[55]

Die beiden folgenden Monate *ani* (Mitte Juni bis Mitte Juli) und *ati* (Mitte Juli bis Mitte August) bilden einen der beiden zentralen Wendepunkte im jährlichen Kreislauf der Sonne. Im Monat *ani* wechselt die Sonne von der nördlichen zur südlichen Bahn. Das Leben zieht sich tief in seinen Ursprung – die fruchtbare Erde – zurück und erwartet neue Saat, Wasser und Reifung. Dieser Übergang gilt als sehr gefährlich, denn er erinnert an das Zusammenziehen der Schöpfung durch Shiva in ihren verborgenen Ursprung, an die Zeit, in der sie eingehüllt im Boden ausharrt und den dort herrschenden dunklen Kräften preisgegeben ist. Nicht nur Shiva beschäftigt sich mit Auflösung und Dunkelheit – auch Vishnu ist in die unteren Regionen herabgestiegen und schläft auf seiner Schlange Vasuki, getragen vom Lebens-Ozean.[56] Der zweite Wendepunkt folgt genau sechs Monate später, in den Monaten *markali* (Mitte Dezember bis Mitte Januar) und *tai* (Mitte Januar bis Mitte Februar), wenn das Leben einmal mehr aus seinem dunklen, aufgelöstem Zustand zu neuer Schöpfung erwacht.

DIE SÜDLICHE BAHN

Der Übergang der Sonne auf ihre südliche Bahn verändert die Perspektive von Grund auf. Er verkehrt die früheren Positionen im Würfelspiel in ihr Gegenteil. Standen zuvor die hellen Felder auf dem Spielbrett für siegreiche Züge, sind jetzt die dunklen Felder stärker. Wenn der Monsunregen herabzuströmen beginnt, gibt es Hoffnung auf neues Leben. Nach dem Säen der Samen lässt der Mensch die verborgene Chemie der Erde in Ruhe wirken. Andererseits wirkt sich das Wetter auch auf das Leben der Menschen aus. Verschiedene Krankheiten breiten sich aus und verlangen nach göttlichem Eingreifen. Die Themen, die früher bereits das Dorfleben bestimmten, treten nun erneut in den Vordergrund. Auf allen Ebenen ist man vor allem bemüht, Wachstum vor Verfall zu schützen. Die drei Welten sind in steter Bewegung; kein Gott, Mensch oder Dämon bleibt an seinem Platz. Gewinner werden zu Verlierern, Verlierer freuen sich auf den Sieg. Shiva und Parvati spielen, ihr Würfelspiel wird hitziger, und bald zeitigen die Spielregeln auch ihre Konsequenzen. Vom Gegner «gebissene» Steine werden auf den Anfang zurückgesetzt. Jeder Würfelwurf gilt gewöhnlich nur für einen Stein.[37]

Auf der südlichen Sonnenbahn bestimmt jeder Wurf nicht nur das Leben des Einzelnen, sondern auch das ganzer Familien oder Verwandtschaftsgruppen. Das erotische Spiel des göttlichen Paares ist für eine gewisse Zeit beendet. Das göttliche Paar trennt sich, jeder geht seinen Weg. Einzeln brechen sie auf und erneuern ihre Verbindungen zu lokalen Dorfgottheiten. In den kommenden Monaten werden Shiva und Parvati Kriege führen – gegen Krankheit, Tod und Verlust. Sie wenden alle Gefahren ab, die die dunkle Jahreszeit für die kosmische Ordnung bedeutet.

Reifung Im Monat *ati* (Mitte Juli bis Mitte August) wird neuer Reis gesät. Die Natur steht unter Spannung und konzentriert ihre Kräfte, um neues Leben zu empfangen. Auf der menschlichen Ebene werden keine Ehen geschlossen, keine Pubertätsriten gefeiert, selbst die Empfängnis steht unter einem schlechten Stern. Die Frauen führen daheim bestimmte Rituale aus, wie *auvaiyar vratam,* bei dem die heilige Dichterin Auvaiyar gefeiert wird. Dieser *auvai,* «Mutter» oder «Asketin», werden besondere Kräfte zugeschrieben. An drei aufeinanderfolgenden Dienstagnächten treffen sich die Frauen allein, ausser Sichtweite der Männer; sie bereiten und essen spezielle kleine Kuchen.[38] In diesem Monat verehren sie die grosse Göttin in ihren acht Formen und acht Kräften göttlichen Eingreifens.[39] Die beliebteste Erscheinungsform ist Shri Lakshmi, die Göttin des Glücks und Reichtums. Ihr Tag ist der Freitag; die Frauen malen mit Reispuder grosse Bilder, die den Eingang ihrer Häuser schmücken, und führen bestimmte *pujas* aus. Im Allgemeinen ist das Leben während dieser Zeit irgendwie anders, es findet an fremden Orten statt: in der Nacht, draussen vor dem Dorf, zwischen Tod und neuem Leben oder ruhend wie Gott Vishnu auf seiner kosmischen Schlange. Die in diese Zeit gehörende Sternkonstellation ist den Toten gewidmet. An dieser Kreuzung von Leben, Tod und Zeugung manifestiert sich die menschliche Welt als das Spielbrett des göttlichen Würfelspiels.

Gewalt und rituelle Unterwerfung Im Monat *avani* (Mitte August bis Mitte September) zeigt das rituelle Drama noch einmal sein heiliges Wesen. Diese Aufführung ist eine ernste Geschichte und erfordert volle Aufmerksamkeit. Denn die wütenden Dorfgötter und Geister der Toten fordern ihre Tribute, das heisst Geschenke. Gewalt, vorzeitige Todesfälle und ungezähmte, heftige Leidenschaften sind die Folgen im heiligen Spiel. Die Spielfiguren existieren im realen Leben: Es sind

Menschen, die von den grimmigen Gegnern «gebissen» und von den Wechselfällen des Spiels «geschlagen» werden. Im täglichen Leben werden sie ohne Vorwarnung Opfer von Kopfschmerzen, oder sie werden von plötzlichen Krankheiten «geschlagen», die wie aus dem Nichts kommen. Weissagungen enthüllen sich dann, nach denen eine Gottheit, ein Geist oder Dämon in das Leben eines Menschen tritt und seine gebührende Verehrung fordert. Es waren diese Gottheiten, die von der ersten Aufführung des fünften Veda ausgeschlossen worden waren.[40]

Menschen unterziehen sich einer zeitweiligen «Unterwerfung», um die rituellen Wünsche der Götter zu erfüllen. Diese Beziehung wird auf Tamil *atimai* genannt, was «sich zu Füssen werfen» bedeutet. Die charakteristische Selbstaufgabe zu Füssen einer Gottheit ist dabei nicht auf die niedrigen Götter des Dorfes beschränkt. Auch Shiva fordert *atimais* unter seinen Anhängern. In der Geschichte Tamil Nadus sind dreiundsechzig heilige «Sklaven» Shivas besonders berühmt geworden (siehe Kat. 40–51).

Einer der frühesten Heiligen lebte wohl im 7. Jahrhundert. Er ist mit dem Namen Appar überliefert, was «Vater» bedeutet (siehe Kat. 40). Es wird erzählt, dass er aus einer Familie stamme, die Shiva verehrte. Doch aus Kummer über den vorzeitigen Tod seiner Eltern und seines Schwagers habe er sich einer damaligen Konkurrenzreligion zugewandt, dem Jainismus. Unter dem Namen Dharmasena trat Appar in ein Jaina-Kloster ein. Seine verwitwete Schwester betete jedoch für seine Rückkehr zum Shivaismus. Laut Legende soll Appar in der Folge an plötzlich auftretenden Koliken gelitten haben. In diesen habe er sich an sein früheres Leben erinnert, das er der Verehrung Shivas geweiht hatte. Appar floh nun bei Nacht aus dem Kloster und stimmte ein Verehrungslied für seine wiedergefundene «erste Liebe» an. Die Schönheit dieser Dichtung bewog Shiva zu einer Antwort. Shiva gab Appar den Namen «König der heiligen Zunge» (Tam. *Tirunavukkaracu*). Von diesem Augenblick an wurde Appar sein Sklave.[41] In einem berühmten Gedicht preist er die Schönheit von Shivas Füssen:

> *Wie die makellose Laute, wie der mondbeschienene Abend,*
> *an dem die südliche Brise weht, und*
> *wie die zarte Berührung der ersten Wärme im Frühling,*
> *wie der Teich, widerhallend vom Summen der Bienen,*
> *so ist der Schatten am Fusspaar des Herrn, meines Vaters.*[42]

Ein weiteres eindrucksvolles Beispiel für eine Bekehrung zu Shivas Füssen ist die Geschichte von Nampi aus Arur. Dieser Heilige soll im 8. Jahrhundert gelebt haben. Er ist vor allem unter dem Namen Sundarar (Tam. Cuntarar, «der Schöne», siehe Kat. 44) bekannt. Das *Periyapuranam* erzählt folgendermassen von seiner Bekehrungsgeschichte[43]:

Die Geschichte beginnt am Tag der Hochzeit Sundarars. Als die Zeremonie ihrem Höhepunkt zustrebte und alle Familienmitglieder, Gäste und Freunde ungeduldig auf den glücklichen Augenblick der feierlichen Eheschliessung warteten, trat ein alter Mann in die Mitte und forderte, die Zeremonie sofort zu beenden. Der Bräutigam sei kein freier Mann, sondern sein Sklave. Er besitze Dokumente, die seinen Anspruch belegten. Sundarar wurde wütend, zerriss das handschriftliche Dokument in Stücke und nannte den Alten einen Verrückten. Als wortlose Antwort gab ihm dieser ein weiteres Mal ein Schriftstück, das die Tatsache bestätigte. Sundarar sei gemäss einer Vereinbarung, die von seinen Ahnen geschlossen worden war, der Sklave des «Verrückten von Venneynallur (Name eines Ortes)». So hatte der Bräutigam keine andere Wahl, als dem seltsamen

Alten zu folgen. Genau in diesem Augenblick verschwand der Fremde. Sundarar erkannte, dass der Alte niemand anders als Shiva war. Als neuer Sklave Shivas stimmte er das folgende Lied an:

> *Verrückter, mondbekränzter grosser Herr!*
> *Gnädig durch Täuschung,*
> *ohne einen Fehler in der Erinnerung denke ich an dich,*
> *du begabst dich in mein Herz.*
> *In Arutturais Schrein der Gnade,*
> *in Venneynallur am südlichen Ufer des Pennai*
> *Vater, als dein Sklave […],*
> *kann ich jetzt sagen: «Ich bin etwas anderes.»*[44]

Die Spiele, die Shiva mit seinen Anhängern spielt, können endlos variiert werden, ebenso wie die Gestalten, die er selbst bereitwillig annimmt. Viele Lieder und Tänze erzählen von Shivas witzigen, lasziven, überraschenden, grausigen oder Furcht erregenden Erscheinungen.[45] Der Tanz ist in den Dörfern Südindiens bis heute lebendig wie eh und je: Manche Familien haben das erbliche Recht auf Tanzaufführungen. Diese «gläubigen Sklaven» (Tam. *atimaikkarar*) tanzen sich selbst in die Besessenheit, nachdem sie eine Zeit der Vorbereitung und Reinigung ausserhalb des Dorfes verbracht haben. Sie bringen durch ihren Tanz Shiva zum Erscheinen, wann immer er es verlangt; so kann er unter die Sterblichen herabsteigen und Verehrung empfangen. Die Tänze im Dorf sind intensiv und voller Energie, sie verschmelzen Gott und Gläubigen zu einer Einheit und zerstören damit den Grund des Leidens.[46]

Im Monat *avani* richtet sich alle Aufmerksamkeit auf den Erfolg. Am Dienstag bereiten die Frauen des Hauses *mankali ponkal*, das süsse Reisgericht, dem wir schon im Monat *tai* begegnet sind. Die Verehrung des elefantenköpfigen Gottes Ganesha, des Überwinders der Hindernisse, am vierten Tag der hellen Hälfte des Monats bewahrt die kosmische Ordnung. *Dakshinayanam*, die südliche Bahn der Sonne, ist eine Zeit voller Gefahren, die in den verborgenen Vorgängen von Leben und Tod wurzeln. Der Dämon Niriti mit Namen «ohne Ordnung» ist der Hauptfeind. Aus diesem Grund nimmt Shiva die Gestalt eines Lehrers esoterischer Weisheit an, als Lehrer, «der im Süden wohnt», ziert er jeden Shiva-Tempel (siehe Kat. 12 und 19).

Herrschaft Der Monat *purattaci* (Mitte September bis Mitte Oktober) wird von der Göttin und ihrem Reich der Nacht beherrscht. Navaratri, wörtlich das Fest der «neun Nächte», enthüllt ein ebenso breites Spektrum der Göttin wie dasjenige Shivas; die Göttin herrscht genauso wie Shiva über Schöpfung, Erhaltung und Zerstörung. Sie wechselt ihre Gestalt vom Mädchen zur Ehefrau, zur Mutter, zur Rächerin, zur Göttin der Künste und Bildung und zur unbestrittenen Herrscherin. Am zehnten Tag geht sie siegreich aus ihren Kämpfen hervor, die sie in den vorangegangenen Tagen mit den Antigöttern ausgefochten hat. Die berühmteste Begegnung zeigt die Göttin bei ihrem Kampf gegen den Büffeldämon Mahishasura (siehe Kat. 7 und 65):

Mahishasura wurde einst so mächtig, dass er jeden auf Erden und im Himmel quälte. Er hatte von den Göttern einen Segen erhalten, demzufolge ihn niemand töten konnte. Da gingen alle Götter zu Vishnu und dachten darüber nach, wie man Mahishasura zerstören könnte. Jeder trug mit seiner Stärke und der Energie seines Bewusstseins bei, sodass daraus Durga geschaffen werden konnte. Aber als man Durga erklärte, sie müsse Mahishasura töten, sagte sie, sie bräuchte dazu

Waffen. Da gaben ihr alle Götter ihre Waffen. So gerüstet, zog Durga in die Schlacht. Sie kämpfte tapfer, aber es war ihr unmöglich, den Dämon zu töten – er war zu stark und zu klug. Die Götter hatten nämlich vergessen, ihr mitzuteilen, dass der Segen, den Mahishasura von Brahma erhalten hatte, darin bestand, dass er nur von einer nackten Frau getötet werden könnte. Schliesslich verzweifelte Durga, und sie rief Mangala [die Kriegsgöttin] an, ihr einen Weg zu zeigen, Mahishasura zu töten. Mangala riet ihr, dass der einzige Weg darin bestünde, ihre Kleider abzulegen. Der Dämon verlöre nur vor einer nackten Frau seine Kraft. Durga tat wie ihr geheissen. Sie zog sich aus, und Sekunden nachdem Mahishasura sie gesehen hatte, schwand seine Stärke. Er starb unter ihrem Schwert.[47]

Doch nun verwandelte sich die Göttin in eine andere, noch wildere, die mit den gewalttätigen *Tandava*-Tänzen Shivas eng verwandt ist: Nachdem sie den Dämon getötet hatte, kam eine schreckliche Wut über sie. Durga fragte sich: «Was sind das für Götter, dass sie Dämonen solche Segen geben? Was sind das für Götter, dass sie noch nicht einmal so ehrlich sind, mir die Wahrheit zu sagen, bevor sie mich in die Schlacht schicken?» Sie beschloss, eine Welt mit dieser Art von Göttern sei nicht wert, fortzubestehen. Sie nahm die Gestalt Kalis an und tobte wie eine Besessene. Sie verschlang jedes lebende Wesen, das ihr in den Weg kam. Jetzt waren die Götter in einer verzweifelten Lage. Sie hatten ihr all ihre Waffen gegeben und waren hilflos, während Kali in jeder ihrer zehn Hände eine Waffe trug: Wie konnte man Kali in Schach halten, und wer könnte ihrem verrückten Zerstörungstanz Einhalt gebieten? Wieder kamen die Götter zusammen. Vishnu beschloss, dass nur Shiva Kali unter Kontrolle bringen könne, und riet den Göttern, ihn anzurufen. Shiva war jedoch ein Asket, ein Yogi, der kein Interesse an den Vorgängen in der Welt hatte. Doch als die Götter ihn anflehten, einzuschreiten, war er einverstanden, sein Bestes zu versuchen. Er ging hin und legte sich Kali in den Weg. Kali, vertieft in ihren Tanz der Zerstörung, bemerkte nicht, dass Shiva auf ihrem Weg lag. Sie trat versehentlich auf ihn. Als sie ihren Fuss auf Shivas Brust setzte, biss sie sich auf die Zunge und sagte: «O mein Gemahl!» Shivas «feurige Energie» durchdrang ihren Körper, zwang sie zum Niederschauen und zur Einsicht. Sie war so wütend gewesen, dass sie jede Vernunft hinter sich gelassen hatte. Aber als sie ihn erkannte, wurde sie ruhig und still.[48]

Diese Geschichte berührt einige Themen, die für das Verständnis der Tänze des Shiva als Nataraja wichtig sind. Zunächst zeigt sie, dass auch Shivas Partnerin zu gewalttätigen Zerstörungstänzen fähig ist. Ihre gefährliche Qualität wird in vielen kulturellen Zusammenhängen sichtbar. Dorfgöttinnen beziehen sich stark auf diese Geschichte von weiblicher Macht. Ihre Schreine findet man den Rändern der Dörfer. Meist sitzen sie in der Pose der Durga, die ausruht, nachdem sie den Büffel Mahishasura getötet hat. Wie viele Dämonen, die in anderen Legenden getötet werden, stirbt auch Mahishasura nicht; stattdessen wird er unterworfen und zum Untertan der Göttin, der sich in einer dienenden Position unter ihren linken Fuss wirft. Der Dreizack (Skr. *trishula*, siehe Kat. 20), den man ihr als Waffe gegeben hatte, ist zu ihrem Attribut geworden und schmückt Dorfschreine oder die Wände von Privathäusern.

Diese Geschichte zeigt auch, wie sich ein Aspekt einer Gottheit in einen anderen verwandeln kann, als Teil eines stets gegenwärtigen Kontinuums der Möglichkeiten. Deshalb ist es bei der Anbetung entscheidend, die richtige Abfolge sorgfältig einzuhalten; nur dann können die gewünschten Qualitäten und Ziele erreicht werden. Die genaue Beachtung jeder Einzelheit ist eine weitere, allgemeine Charakteristik des «Heiligen Spiels». Nicht zuletzt zeigt die Geschichte die symbiotische Beziehung zwischen Shiva und seiner Göttin. Sobald sich ihre Trennung zu einer extremen Polarisierung entwickelt, entsteht eine kritische, gefährliche Situation, die letztlich allen schadet. Deshalb müssen solche Situationen abgewendet und das Götterpaar allmählich wieder in ihren vereinigten Zustand des *ardhanarishvara* zurückverwandelt werden (siehe Kat. 14).

Der zehnte Tag Der zehnte Tag ist der Schlusspunkt des Festes der neun Nächte und gilt als besonders Glück bringend. Bis heute glaubt man an den Erfolg einer neuen Unternehmung oder eines Neuanfangs, wenn sie am siegreichen zehnten Tag, dem *vijayadashami*, begonnen werden. In jeder der neun Nächte des Navaratri-Festes wird das Kultbild der Göttin in ein neues festliches Gewand gekleidet, und man singt Hymnen, die die Geschichte dieses Tages vorstellen. Daheim werden die milderen Aspekte der Göttin gefeiert. Frauen und Kinder stellen Berge von Puppen, Tonfiguren von Göttern, Göttinnen, dienstbaren Gottheiten, ja selbst weltliche Puppen auf selbst gemachten Regalen zur Schau. Verheiratete Frauen ziehen neue Stärke aus den Legenden um die Göttin, um ihren Mann, ihre Kinder und die weitere Familie mit weiblicher Macht beziehungsweise *shakti* zu beschützen, die von der Göttin auf sie übergeht. Sie besuchen Familie und Freunde, singen Hymnen zu Ehren der Göttin und tauschen Geschenke aus, die Glück bringen sollen, wie rotes *Kumkum*-Puder, das auf die Stirn aufgetragen wird, gelbe *Mancal*-Wurzel für ein langes Leben, einen Spiegel, Süssigkeiten und ein paar Glücksmünzen.

Die Nacht vor dem «siegreichen Zehnten» ist der Göttin Sarasvati geweiht, der Verkörperung der Bildung, Kunst und Kommunikation. Kinder legen ihre Stifte, Hefte, Tanzglocken, Musikinstrumente und ähnliche Lernmittel in den Hausschrein. Die Göttin Sarasvati soll sie erneut erfüllen. Deshalb werden an diesem Tag weder Künste ausgeübt noch Studien oder andere Aufgaben betrieben, sondern erst nach einer ausführlichen *puja* am «siegreichen Zehnten».

Shivas Sohn Murukan (siehe Kat. 38 und 39) wird ebenfalls zur Heimstatt der Göttin gebracht, um gestärkt zu werden. In Tiruttani tragen ihn die Gläubigen zum Wasserbecken der Tempeltänzerinnen, die hinter dem grossen Tempel neben dem Schrein der Göttin Sarasvati lebten, und verehren ihn dort.[49] Computer, Aktenordner, Büroausstattungen samt Möbeln, selbst Autos oder andere beruflich notwendige Gegenstände werden mit dem zeremoniellen roten *Kumkum*-Puder gezeichnet, um den Erfolg im kommenden Jahr zu sichern.

Die Alchemie von Leben und Tod Während die Sonne auf ihrer südlichen Bahn immer tiefer in die Dunkelheit hinuntersteigt, verschlechtert sich das Leben auf der Erde. Unablässiger Monsunregen, Kälteperioden und Krankheiten zeugen vom flüchtigen Glück der «Frühlings»-Götter. Ihre Klugheit wird von den «Winter»-Antigöttern herausgefordert. Beide Parteien spielen hart und hinterhältig und nutzen dabei alle Möglichkeiten, sich zu schützen, zu verstecken und zu täuschen. In der nassen und kalten Jahreszeit kann man den Aufstieg und Fall verschiedener Antigötter verfolgen. Eines der immer wieder eingesetzten Gegenmittel ist Licht und Feuer: Lampen im Haus, Feuer im Freien, Lampen in den Tempeln und die eindrucksvolle Kreisprozession der «Feuerwagen».

Im tamilischen Monat *aippaci* (Mitte Oktober bis Mitte November) treten die Antigötter in den Vordergrund. Das Lichtfest Dipavali (oder auch Divali) feiert den Sieg von Krishna über einen von ihnen, Narakasura – den Sohn der Erde –, der die Götter ständig in Kriege gestürzt hatte. Während des Lichtfests wird das Spiel des Zufalls, der Schlauheit und des Glücks einmal mehr in die Form eines rituellen Würfelspiels gefasst, und wie beim Shivaratri-Fest dauert es die ganze Nacht.

Dipavali wird bei Neumond gefeiert, wenn der *Amavasya*-Stern am Firmament steht und das Andenken an die Ahnen befiehlt. Sie erhalten ihren Anteil am neuen Reis, der im Sommer gesät und im Winter geerntet wird. Draussen wird ein Bananenblatt bereitgelegt, auf dem der gekochte Reis offen dargeboten wird. Wenn Krähen davon picken, bedeutet dies, dass die Ahnen mit den Gaben zufrieden sind und ihren Nachkommen Glück wünschen.

Währenddessen kümmert sich die Göttin um das Leben der Sterblichen. Im tamilischen Monat *karttikai* (Mitte November bis Mitte Dezember) wird Durga jeden Montag in den grossen Tempeln mit einem besonderen Gottesdienst geehrt. Die gefährliche Stärke der Antigötter wird als «Hitze» wahrgenommen, die alle Arten von Krankheiten hervorruft, besonders aber Pocken. Den Legenden zufolge erhielt die Göttin Mariyamman einen besonderen Segen, um diese Krankheit zu diagnostizieren und zu heilen. Ihr Name bedeutet eigentlich «Herrin über den Tod» und weist sie als eine der acht Formen Kalis aus. Sie erhält Opfergaben, die dazu bestimmt sind, Hitze zu kühlen und Todesgefahren abzuwenden. In einem Topf wird eine Paste aus gemahlenem Reis, frisch gepresstem Tamarindensaft und Zucker bereitet. Dieser Topf ist das wichtigste Symbol der Göttin, er steht für den Uterus, der das Leben spendende Wasser enthält. Wenn man der Göttin in diesem Topf «kühlendes Essen» anbietet, versichert man sich gleich in doppelter Weise ihrer Teilnahme und gnädigen Hilfe. Ist das Ritualopfer vollzogen, essen die Opfernden gemeinsam die Reste. Was übrig bleibt, wird mitsamt dem Topf in den Fluss geworfen, der alle bösen Einflüsse davonträgt.[50] Die «Hitze» der Dämonen kann mit «kühlenden Substanzen» gedämpft, «mit Feuer-Reinigung ausgebrannt» oder in nützliche Dienste umgewandelt werden.

Der Göttersohn Murukan kämpfte seinerseits gegen die hartnäckigen Antigötter, die von Curan angeführt wurden, dessen Name mit «Angst», «Leiden», «Krankheit» oder «Grausamkeit» übersetzt werden kann.

Über die Geburt Murukans wird folgender Mythos erzählt: Es heisst, er sei aus Shivas drittem, lustvollem Auge geboren worden. Die Götter des Feuers und des Windes, Agni und Vayu, brachten die feurigen Strahlen des Auges zum Fluss Ganges und tauchten sie in dessen heilige Wasser. Aus dieser wunderbaren Verbindung von Lust, Feuer, Wind und Wasser entstanden sechs Lotosblumen, die jede einen männlichen Säugling trugen. Diese sechs Kinder wurden von Ziehmüttern aufgezogen, bis Shiva und Parvati sie in ihrer Idylle besuchten. Parvati fasste sofort Zuneigung zu den Kindern, umarmte sie und verschmolz sie zu einem Körper mit sechs Köpfen. Dieser Sohn Shivas war der einzige Krieger, der den letzten Antigott Curan besiegen konnte, der bislang allen Angriffen der Götter widerstanden hatte.[51] Im Monat *karttikai* treffen sie jeweils aufeinander. Dank seiner magischen Kräfte erhebt sich Curan aus dem Meer in Form eines riesigen Mangobaums, der bis in den Himmel wächst. Murukan beobachtet dies und spaltet mit seinem langen Speer den Dämon in der Mitte. Gnädig wandelt er die beiden Hälften in den Hahn und den Pfau um, die ihm nun als Reittiere dienen (siehe Kat. 39).

Zurück zum Leben Der letzte Monat der südlichen Bahn bildet den zweiten Wendepunkt im Jahreslauf. Der Abstieg in die Dunkelheit des Lebens in seinem eingefalteten Zustand erreicht im tamilischen Monat *markali* (Mitte Dezember bis Mitte Januar) den tiefsten Punkt. Dies ist der ungünstigste Monat. Es werden keine Ehen geschlossen. Mit verschiedenen Ritualen hilft man der Sonne und den Göttern, ihre Macht wiederzugewinnen. Der Monatsname steht bereits für die vorgesehenen Riten: «austreiben», «vertreiben» (Tam. *kali*), «sterben», «Erschöpfung» (Tam. *mal*).

Farbenfrohe Zeichnungen schmücken den Eingang jedes Hauses, der beschützt wird von einer kleinen Figur des Ganesha (siehe Kat. 37 und 54) aus frischem Kuhdung, gekrönt von einer gelben Blume. Vor dem Morgenritual werden Hymnen gesungen, die die Götter mahnen, aufzuwachen und einen neuen Tag zu beginnen.

Sowohl shivaitische als auch vishnuitische Tempel bewahren ein über tausend Jahre altes Liedrepertoire. Vor Sonnenaufgang gehen junge Mädchen von Tür zu Tür und fordern die Frauen auf, im heiligen Wasser des Tempelbeckens zu baden; sie singen das tamilische *Tiruvempavai*, eine Komposition des Dichterheiligen Manikkavacakar, das wohl aus dem 10. Jahrhundert stammt, und das *Tiruppavai*, das von der heiligen Jungfrau Antal im 8. Jh. komponiert worden sei. Der Dichter und Heilige Manikkavacakar ruft in seinem Lied Parvati an. Er drängt sie am Ende jedes Verses, aufzuwachen! Und er bittet sie, die Gnade ihres Liebesspiels mit Shiva wie eine «Regenwolke» auszugiessen:

Regendame, früher stiegst du aus diesem Ozean, unsere strahlende Herrin,
Du machtest auch ihn zu deinem Sklaven, bogst den Bogen deiner Augenbrauen
wie ein goldenes, schönes Fusskettchen zum anderen, dabei
wandest du dich wie ein blühendes Rankengewächs an seiner begehrlichen Hüfte entlang;
Warst ihm nahe gekommen, hieltest ihn mit Liebe, unseren Herrn,
ohne dich von ihm zu trennen; in dieser Weise:
Regen, ströme hernieder, süsse Gnade, beende den früheren Verfall,
erhebe dich, unsere Herrin![52]

In dieser letzten Phase der dunklen, südlichen Bahn der Sonne ist es die knospende junge Frau, deren Kraft dem neuen Umschwung der Natur die Richtung weisen kann. Er erscheint bereits am Horizont: Der folgende Monat *tai* verheisst schon im Namen «Schöpfung» etwas Neues, Schönes, wie das Sprossen einer jungen Pflanze oder eines Baums.

Wenn der *Arudra*-Stern am Himmel erscheint, tanzt Shiva seinen *ananda tandava*, den «Glückseligkeitstanz». Dieser Stern gilt als feucht, weich und zart. Er steht für den Wendepunkt in der Anhäufung der Gefahren. Shivas Tanz in einem Flammenbogen reinigt und verwandelt alle Dunkelheit entlang der südlichen Bahn in Gold. Das *Natyashastra* erwähnt diesen kraftvollen Tanz am Ende der Auflösung als Glück bringend. Wenn Shiva tanzt, ist seine ewige Liebe Shivakami einmal mehr an seiner Seite und schaut seinem Staunen erregenden Auftritt zu. Am nächsten Morgen hält das göttliche Paar seine rituelle Audienz: Beim Fest *arudra darshanam* werden die Prozessionsbilder von Nataraja und Shivakami um den Tempel ins Dorf getragen, um die Welt der Menschen mit ihrer verwandelnden Kraft zu segnen. Dieses heilige Spiel ist der überzeugende Beweis, dass «Gnade» (Tam. *arul*) für alle möglich ist, die sich zu Shivas tanzenden Füssen werfen. Die Segnungen des heiligen Spiels halten noch eine Weile vor. Mit den Worten des erwähnten Johan Huizinga wirft das Spiel «auf die gewöhnliche Welt da draussen seinen Glanz und bewirkt für die Gruppe, die das Fest gefeiert hat, Sicherheit, Ordnung und Wohlstand, bis die heilige Spielzeit wieder da ist».[53]

Transzendenz

Was geschieht nun mit dem Spiel, den Spielern, den Spielsteinen und dem Würfel? Das Ziel des Spiels besteht darin, alle eigenen Steine im leeren Raum in der Mitte der vier Arme, die das Spielbrett bilden, zu versammeln. Nur wenn man dies vor dem Gegner schafft, hat man ohne Zweifel gewonnen. Gott und Göttin waren in einem Körper vereint, «halb Frau, halb Mann» (siehe Kat. 14), bevor sie zu würfeln begannen. Ihr Drang zu spielen reisst sie auseinander. Ihre innere Welt bleibt jedoch von endloser Sehnsucht nach der anderen Hälfte erfüllt (Skr. *shringaratma*). Während sie entlang den beiden Sonnenbahnen spielen, der glorreichen nördlichen und der kritischen südlichen Strasse, und glanzvolle Momente wie auch heftige Schlachten erleben, werden zuletzt beide Spieler von Sehnsucht überwältigt und verschwinden in der leeren Mitte des Spielfelds, des Würfelbretts. Sie werden in ihrem transzendenten, glückseligen Zustand *ananda* wieder vereinigt – bis frische Spiellust sie von Neuem einander gegenüber an das Würfelspiel setzt.[54]

Tandava: Der Tanz der Verwandlung

Als Gott spielt Shiva schon in den Veden, den frühesten uns bekannten Texten, eine wichtige Rolle. Dort wird er allerdings Rudra, der «Schreckliche», genannt; die Bezeichnung «Shiva» scheint erst zu einem späteren Zeitpunkt gebräuchlich geworden zu sein. Die eingangs erwähnte Metapher Tanz (*nata*) zeigt Shiva als Nataraja in einem ambivalenten Raum zwischen «Glück Verheissendem» und «Schrecklichem». Dort vollzieht er seinen Tanz der Veränderung.

Alte Geschichten

Die frühesten Zeugnisse von Shivas Tanz in Südindien sind Texte in tamilischer Sprache. Tamil war die erste Sprache Südindiens, die die Brahmi-Schrift aus dem Norden den eigenen Bedürfnissen anpasste. Die ältesten Inschriften stammen vermutlich aus dem 3. Jahrhundert v. Chr. In dieser Zeit entstand auch die erste bekannte tamilische Grammatik *Tolkappiyam* (Tam. «altes Lied») als Grundlage der Wortkunst verschiedener Barden, die vermutlich zwischen 100 v. Chr. und 300 n. Chr. ihre Dichtungen rezitierten, vorsangen und mit Tanzvorführungen begleiteten.

Mythische Dichterakademien, so heisst es, hätten die Gesänge dieser wandernden Barden beurteilt und die Regeln für ein «heilsames Tamil» festgelegt. Diese Akademien wurden in Madurai abgehalten, Dichter, Weise und die Götter Shiva, Murukan und Kubera sollen daran teilgenommen haben.[55]

Alle diese frühen Dichtungen spiegeln ein Universum wider, in dem das Leben, die Liebschaften und die Tapferkeit des Königs im Mittelpunkt stehen. Seine Welt wurde als Landschaft betrachtet: Liebes- und Kriegssituationen wurden bestimmten Landschaften Tamil Nadus zugeordnet – wie etwa Dschungel, Grasland, Städte, Küste und Wüste.[56] Der König war Mittelpunkt, die Quelle und der Beschützer des Lebens:

Reis ist nicht Leben,
Wasser ist nicht Leben.
Der König haucht Leben
in die Welt der fruchtbaren Oberfläche ein.
Deshalb ist es des Königs Pflicht
zu sagen:
«Ich bin Leben»
und seine Armee mit Äxten und Speeren auszustatten.[57]

Die private Welt des Königs wurde in intimer, häuslicher, innerlicher Poesie besungen. Sein öffentliches Leben war hingegen Gegenstand heroischer Dichtung, Letztere befasste sich mit Themen wie Krieg, Politik und Ruhm.[58] Für den König waren die Barden unentbehrlich, denn sie allein verfügten über die Fähigkeit, seine Lebenskraft durch Gesänge, Dichtung, Musik und Tanz zu stärken. Ihre Preislieder bilden ein eigenes Genre.

Für die Aufführungen der beiden lyrischen Gattungen gab es jeweils eine spezielle Gruppe: die Sänger der «kleinen Laute» und die Sänger der «grossen Laute». Diese Aufteilung ähnelt den beiden Musikgruppen, die traditionell Shiva in seinen Tempeln dienten: Die *devadasis* gehören der kleinen Gruppe an und waren für den täglichen Gottesdienst im Tempel zuständig, während die Musiker der grossen Gruppe bis heute auf Prozessionen im Freien spezialisiert sind. Wie schon in früheren Zeiten überschneiden sich diese beiden Kategorien, aber die Unterscheidung zwischen erotischer Privatsphäre und dem heroischen öffentlichen Leben hat sich schon immer in einer klaren Trennung in der Ritualpraxis widergespiegelt: Das öffentliche Leben der Könige war reich an Musik und Tanz, Barden begleiteten sie auf Kriegswagen zum Schlachtfeld, Dämonentänzerinnen tanzten nach errungener Schlacht mit dem König zwischen den Leichen.[59]

Schlachtfeld und Bestattungsplatz sind die beiden Themen, in denen die Gewalt dominiert, sie bilden die Grenze zwischen Leben und Tod. Beide Themen waren eine stete Inspirationsquelle, von den frühesten Sängern bis zum ersten tamilischen Epos, dem *Cilappatikaram* bis zu den Dichterheiligen der *Bhakti*-Bewegung, die vor allem zwischen dem 5. und dem 10. Jahrhundert wirkten. Das Sanskrit-Wort *bhakti* lässt sich mit «Hingabe» übersetzen und bedeutet das «Verschmelzen» mit dem geliebten Gott. Diese religiöse Bewegung zeichnet sich also durch ihre extreme Hingabe an die Götter aus.

Karaikkal Ammaiyar, die «Mutter aus Karaikkal» (siehe Kat. 48 und 49), ist die erste Heilige, die gegen Mitte des 6. Jahrhunderts eine detaillierte Beschreibung des tanzenden Shiva liefert. In einem ihrer berühmten Lieder, die bis heute vorgetragen werden, besingt sie Shiva, ihren «Vater, der in Tiruvalankatu lebt».[60] Zentral für die Stimmung des Gedichtes ist die Beschreibung der unheimlichen Teufelsfrauen, die Shiva bei seinem Tanz begleiten. Die Dichterin scheint auf zwei Tanzposen hinzuweisen, die wir in den Stein- und Bronzeskulpturen der Ausstellung immer wieder antreffen. Die erste ist der «gestreckte Tanz» (Skr. *urdhvatandava*). Dazu Karaikkal Ammaiyar: «Unser Vater tanzt und streckt sein Bein in dem alten hartnäckigen Wettstreit nach oben.» Wir werden auf diesen Tanzwettstreit zwischen Shiva und Kali im Folgenden noch zu sprechen kommen. Die zweite Tanzpose beschreibt Shiva auf dem Kremationsplatz, ein Bein über das andere schwingend, begleitet von Teufeln und einer Reihe von Vögeln, die gewöhnlich als Unglück bringend angesehen werden. Spätere Dichter griffen wiederholt dieses Bild auf: Shiva tanzt mit Asche beschmiert, Totenschädel und einer um die Taille geschlungenen Giftschlange auf dem Verbrennungsplatz.[61]

Frühe Versuche einer Systematik

Über Jahrhunderte hinweg war Shivas Tanz Thema in der tamilischen Literatur. Systematische Werke klassifizierten und untersuchten Shivas Tänze immer wieder aufs Genaueste. So listet das *Natyashastra* 32 Bewegungssequenzen und 108 Posen als *Tandava*-Repertoire auf. Shivas Tänze tauchen in verschiedenen Lebenswelten auf. Sie gehören zur Vorbereitung einer Theateraufführung, aber auch in die Mythen. Shiva tanzte beispielsweise als Nilakantha, während die Götter und Antigötter den Ozean quirlten.[62] Er tanzte als «der grosse Herr», nachdem er das Opfer seinen Schwiegervaters, des Dämons Daksha, zerstört hat.[63] Und als er den Antigott Andhaka tötete, imitierte er mit seinem Tanz die Form seiner Waffe, des Dreizacks.[64]

Die Verwandlungskraft, die von Shivas Tänzen ausgeht, wird immer zu Beginn oder Abschluss einer Veränderung benötigt. Im *Natyashastra* heisst es, dass Shiva seinen *tandava nrittam* am Ende der kosmischen Periode der Weltauflösung (Skr. *pralaya*) tanzt, also bevor er die Welt wieder neu entstehen lässt. Obwohl er die Felsen mit Füssen tritt und den Ozean des Lebens aufwühlt, der alle Kreaturen beherbergt, gilt sein Tanz doch als «immer Glück gebend».[65] Diese Beschreibung von Shivas Tanz kommt dem «Tanz der Glückseligkeit» nahe, den die Bronzen der Chola-Periode so oft zeigen.

Shivas Tanzhaltung, in der er das linke Bein über das gebeugte rechte schwingt, ähnelt einer der 108 im *Natyashastra* beschriebenen Posen.[66] Der Kommentar macht deutlich, dass der berühmte Tanz Shivas zu den vorbereitenden Ritualen in einem Tempel gehört. In diesem Zusammenhang interessant ist der Hinweis, dass die Tempelwächter dieselbe Bewegung vollführen (siehe Kat. 8, 53, 74, 75). Es handelt sich um Furcht erregende Torhüter, die das Gebäude vor bösen Eindringlingen schützen, während Shiva den Tanz der Glückseligkeit aufführt. Die Tanzposen der Wächter und des Gottes sind fast identisch, denn beide haben eine gemeinsame Bedeutung: Sie finden vor Schwellen statt und sind Vorbereitungen, die zum eigentlichen rituellen Drama führen.[67]

Ein anderer Text, das schon erwähnte *Tiruvilaiyatapuranam*, nennt vier «spielerische Tänze». Diese Tänze sind so etwas wie «Wunder», die Shiva vollführt, wenn er mit seinen Anhängern spielt, sie prüft und ihnen schliesslich seine Gnade gewährt. Die Menge dieser Wunder wuchs übrigens von einunddreissig im 10. Jahrhundert auf vierundsechzig, einer für Shiva besonders heiligen Zahl, im 16. Jahrhundert.[68]

Die originellste Auflistung und Systematik von Shivas Tänzen stammt aus dem Kloster in Tiruvaturai. Dort wurde eine Enzyklopädie zu Natarajas Tänzen zusammengestellt.[69] Das Interessanteste am Text ist, dass er konsequent der magischen Zahl Fünf folgt: Shivas Anbetung erfolgt in fünf Silben «Eh-re sei Shi-va» (Skr. *na-ma-shi-va-ya*), es gibt fünf Tänze Shivas, die den fünf Werken des grossen Gottes entsprechen; an fünf Schreinen kann man in Tamil Nadu seine Tänze sehen und an Shivas Gnade teilhaben.

Sein Tanz ist fünffach,
er, der ein Ganzes und seine Teile ist,
hat seinen Tanz getanzt,
um seine fünf Taten zu vollbringen.
Arbeitet er, hat er wahrhaftig
fünf Werke durch Gnade vollbracht.
Vereint mit seiner süsszungigen Geliebten
tanzt er den heiligen Tanz.[70]

Die Gnade (Tam. *arul*) ist eine höchst persönliche Vereinigung zwischen dem Gott und seinen Verehrern. Der Wunsch des Gottes, ein sterbliches Wesen aus dem Kreislauf von Leben und Tod, von Schöpfung und Auflösung, zu befreien und in die Glückseligkeit zu führen, kann nur in einem ganz bestimmten Augenblick in Zeit und Raum verwirklicht werden. Zum Wohle der Menschen teilt Shiva sich in fünf Manifestationen auf und tanzt fünf verschiedene Tänze. Tirumular ordnet alle fünf Handlungen dem Bild des tanzenden Shiva in Chidambaram zu:

1 Aus Shivas Trommel entsteht die Schöpfung (Tam. *torram*, Skr. *shrishthi*),
2 aus seiner erhobenen Hand entsteht deren Erhaltung (Tam. *titiyam*, Skr. *sthiti*),
3 durch das Feuer (in seiner anderen Hand) zieht er die Schöpfung in sein inneres Selbst (Skr. *samhara*) zurück,
4 sein stehender, nach unten drückender Fuss beendet die Verhüllung (Skr. *tirodhana*), und
5 der erhobene Fuss des Herrn kündigt die Erlösung (Skr. *anugraha*) an.[71]

Shiva in seiner Gnade führt seine Taten in Form von Tänzen auf. Seine Verehrer können sie alle sehen, jeden Tanz auf einer eigenen Bühne an einem bestimmten Ort:

1 Tirunelveli ist für den Tanz der Schöpfung berühmt,
2 Madurai ist stolz auf Shivas Schutz und Erhalt,
3 in Tirukurralam hebt Shiva den Schleier der Verhüllung, und
4 in Tiruvalankatu heilt er das Leiden, das dem Leben innewohnt,
5 in Chidambaram können Shivas Verehrer alle fünf Taten ihres Herren gleichzeitig sehen, denn in seinem *ananda tandava*, dem «Tanz der Glückseligkeit», sind sie alle präsent. Mit dem Besuch der Pilgerorte können die Menschen so an Shivas Gnade teilhaben. Sie erfahren in den Ritualen göttliche Immanenz und Transzendenz.

Begegnungen mit der Gottheit

An den tanzenden Gott Shiva Nataraja knüpfen sich nicht nur philosophische Konzepte, künstlerische Gestaltungen und historische Entwicklungen, sondern in erster Linie eine kulturelle Praxis. Der Besuch eines Tempels, um eine Gottheit zu sehen und von ihr gesehen zu werden, bedingt eine Wechselwirkung zwischen Gott und Mensch, er bewirkt bei beiden eine Veränderung. Diese Begegnung ist wohltuend für beide Seiten und stimmt mit den ursprünglichen Zielen des Dramas, wie Brahma es geschaffen hat, überein.

Im Mittelpunkt dieser Praxis steht der sichtbare, direkte Zugang zu den Göttern. Diese Praxis steht im Gegensatz zur Rezitation der Veden und den Opferfeuern der Brahmanen. Im Drama ist der Austausch beidseitig und sinnlich erfahrbar: Die Götter werden durch die Verehrung lebendig, und die Sterblichen werden im Gegenzug von ihnen gestärkt. Wie wir bereits zu Beginn gesehen haben, hatte Brahma schon vor der ersten Aufführung des fünften Veda gefunden, es fehle das Element *kaishiki*, also «die zarten, sanften Bewegungen weiblicher Präsenz». Er hatte die Welt der Gefühle und Affekte (Skr. *bhava*), die eine bleibende Wirkung (Skr. *rasa*) auf alles Gegenwärtige haben, vermisst. Der Wirkungsbegriff, den Brahma hier verwendet, hat sich aus den medizinischen, magischen und alchemistischen Praktiken des *Atharvaveda* entwickelt. Dort entsteht *rasa* aus den weiblichen Bewegungen (Skr. *kaishiki*) hervor, die voller *shringara* (Skr. «Eros») sind.

Als Ergänzung zum heroischen Antagonismus ist die erotische Vereinigung unerlässlich, um das Leben wieder zusammenzuführen und zu erneuern: Das Heroische und das Erotische sind immer parallele Strömungen, in weltlichen wie in rituellen Zusammenhängen. Dieses erotische Moment ist in der *shringara bhakti* besonders deutlich, der «liebenden Hingabe» an den auserwählten Gott. Wie oben schon erwähnt, unterteilt die frühe tamilische Dichtung das Leben in den einander ergänzenden Begriffen von «privat» und «öffentlich». In der Mitte des ersten Jahrtausends verschob sich der Fokus vom König, dessen irdische Fähigkeiten den Menschen Wohlstand garantierten, auf einen «Gott-König», der auch eine metaphysische Dimension der Gnade verkörperte. War der alte tamilische König durch sein Pflichtgefühl an seine Barden gebunden, interpretierte der Gott-König diese Beziehung anders: Der Bund zwischen König und Untertanen wurde komplexer. Es ist wieder die Metapher des Würfelspiels, die uns hier helfen kann, diese asymmetrische Liebesbeziehung zu verstehen: Die Begegnung zwischen Gott und Mensch beziehungsweise Gott-König und Untertan wird bestimmt durch den Wurf der Würfel. Gott und Gott-König handeln, wie sie spielen, doch am Ende ist die Gnade immer ihr letzter Spielzug.

Menschen feiern bis heute mit Rezitation, Gesang und Tanz die Heldentaten der Könige und Götter. Sie besuchen die Orte, an denen ihre Helden sich manifestierten: Pilgerreisen gehören seit eh und je zu den wichtigsten Praktiken religiöser Verehrung.

Schon seit dem 6. Jahrhundert reisten Sänger in ihrer Gotteshingabe von Schrein zu Schrein, um ihren Lieblingsgöttern durch Lobpreis und Gesang ihre Bewunderung und Hingabe zu beweisen. Sie waren Vorbilder in einer Gesellschaft, die sich im Wandel befand, konfrontiert mit religiösen Bewegungen aus dem Norden Indiens wie dem Buddhismus und dem Jainismus. Erinnern wir uns: Nur mit vereinten Kräften gelang es den südindischen Königen, den Pandyas, Pallavas und Chalukyas, den nordindischen Eindringlingen Einhalt zu gebieten.[72] Zur selben Zeit entstand die bereits erwähnte *Bhakti*-Dichtung. Südindische Barden sangen in tamilischer Sprache über tamilische Götter und ihr Land. Bei den Shivaiten waren es vor allem die 63 «Führer» (Tam. *nayanar*), bei den Vishnuiten die Alvars. In jedem Shiva-Tempel findet man noch heute ihre steinernen Bildnisse als Beschützer des Hauptschreins sowie tragbare Bronzestatuen, die auf Prozessionen mitgeführt werden können. Vier von diesen Führern sind besonders wichtig: Appar, Sambandar, Sundarar und Manikkavacakar gelten als Lehrmeister (Skr. *guru*) aller Shiva-Anhänger (siehe Kat. 40–47). Auf sie gehen die bewegenden Hymnen des *Tirumurai* zurück, die beim täglichen Tempelritual von professionellen Sängern gesungen werden.[73]

Shivas Tanz der Schöpfung in Tirunelveli Inmitten der Reisfelder im tiefen Süden von Tamil Nadu liegt der Tempel von Nellaiyappar, dem «Beschützer der Reisfelder». Hier tanzt Shiva Nataraja seinen «Tanz der Schöpfung». Das Linga im Hauptschrein sei, so glaubt man, auf wunderbare Weise «aus sich selbst geboren» und stärke die Fruchtbarkeit. Die einheimische Göttin heisst Kantimati Ammai, die «liebliche Dame», auch Vativutai Ammai genannt, «die Dame von schöner Gestalt». Der heilige Baum ist hier der Bambus, der Tempelteich der «goldene Lotosteich». Einheimischen Quellen zufolge steht Shivakami an Shivas Seite, während er «mit lächelndem Gesicht» tanzt, Karaikkal Ammaiyar zur Begleitung singt und ihre Zimbeln schlägt.[74]

In diesem ersten Schrein unserer Pilgerreise treffen wir auf einen Shiva, der die Rolle einer Lokalgottheit annimmt, eines «Vaters», wie es viele in den Dörfern um Tirunelveli gibt. Er kümmert sich um die Reisfelder. Sein Tanz findet in der «roten Halle» statt. Rot ist für die Tamilen eine Glück bringende Farbe: Schon die alten Dichterakademien kamen zum Schluss, dass die «heilsamen» Eigenschaften der tamilischen Sprache *cem*, «rot», seien. So ist auch Gott Murukan, Shivas Sohn, «rot».

Shiva verbindet die panindischen Mythologien mit den örtlichen Legenden und den alltäglichen Bedürfnissen des Lebens: dem Boden, dem Reis, der tamilischen Sprache und der ganzen tamilischen Kultur. Der schon erwähnte Dichterheilige Appar besuchte diesen Schrein und besang die rote Manifestation Shivas mit folgenden Worten:

Wenn [...] seine geschwungene Augenbraue – und
das knospende Lächeln seiner Lippen,
rot wie die Kovvai-Frucht – und
seine taufrischen Haarsträhnen – und
die milchweisse Asche
auf seinem korallenroten, schönen, goldenen Körper – und
sein süsser aufwärtsschwingender goldener Fuss
sich zeigen,
dann ist auch die menschliche Geburt auf dieser weiten Erde
in der Tat begehrenswert.[75]

Shivas erhaltender Tanz in Madurai Madurai, die alte Hauptstadt der Pandya-Königreiche, ist auch als Tiru Alavay, «heiliger Wasserort», bekannt. Hier heiratete Shiva eine Braut aus der Stadt, die Kriegerprinzessin Tatatakai, die als Bub aufwuchs und drei Brüste besass.[76] Der heilige Baum von Madurai ist der Kadamba, und das Tempelbecken heisst «goldener Lotosteich». Shivas Tanz in der «Silberhalle» ist von überwältigender Schönheit. Interessanterweise unterscheidet sich dieser Tanz von den anderen dadurch, dass es hier einen Beinwechsel gibt. Der erhobene, Gnade verleihende Fuss ist normalerweise der linke (siehe Kat. 1). Im Gegensatz zu dieser Konvention hebt der Shiva in Madurai das rechte Bein an. Die Arm- und Handbewegungen bleiben allerdings unverändert. Manchmal wird Shivas Tanz in Madurai auch als «Abenddämmerungstanz» bezeichnet oder als «Tanz des schönen [Gottes]».[78] Der Gottesdienst in der Dämmerung ist besonders wichtig: Es heisst, dass dann Shiva seinen Dämmerungstanz aufführt, in dem er alles Leben vor den Gefahren der Dunkelheit bewahrt. In der rituellen Tempelpraxis helfen Öllampen mit ihrem Licht den Göttern, die gefährliche Dunkelheit der Nacht zu durchqueren. Früher brachten Tempeltänzerinnen mit Tonlampen Feuerreinigungen dar, begleitet von Tanz und einem Lied, das den Gott zum Liebesspiel einlädt. Sie agierten so leidenschaftlich, dass die Zuschauer eifersüchtig wurden[79].

Shivas Eigenschaft der unwiderstehlichen Schönheit zeigt sich deutlich in allen Legenden über Madurai, in der Dichtung und der bildenden Kunst. Lieder und Tänze im Repertoire der Tempeltänzerinnen führten diese Tradition des «Eros als Verehrung» (Skr. *shringara bhakti*) fort, einige Kompositionen dieses Genres haben sogar bis zum heutigen Tage überlebt. Sie werden gewöhnlich «Lied» (Tam. *padam*) oder «Farbe» (Tam. *varnam*) genannt.[80] Wenn die gesamte Komposition getanzt wird, dauert sie etwa vierzig Minuten oder länger – abhängig davon, wie viel Spielhandlung die Tänzerin ihrem Publikum vermitteln kann. Die ersten beiden Zeilen beschreiben Shivas Erscheinung: sein schönes Gesicht, seine Ohrringe, die Schlange und die Göttin Ganga, die sein Haar schmückt, die Mondsichel (siehe Kat. 18 und 22), sein drittes Auge und sein androgynes Wesen (siehe Kat. 14). Eine besonders eindrucksvolle Spielpassage zeigt Shiva, wie er in der Dämmerung zwischen den Hörnern seines Stieres tanzt; dies ist die Stunde, in der Nandi (siehe Kat. 9, 10, 21) Gnade von seinem Herrn zuteil wurde. Sein Tanz ist eine allmonatliche Feier in Shiva-Tempeln, bei der die Gläubigen unzählige kleine Lampen rund um Shivas Stier entzünden. Gegen Mitte der Komposition spricht das Gedicht unverhüllt über Shiva als den schönen Herren

(Skr. Sundareshvara) und Liebhaber: «Nun ist der richtige Moment, einen Plan zu schmieden für ein Stelldichein mit [meinem] Liebhaber.» Das verliebte Mädchen fährt fort: «Mein Geliebter, o könnte ich seine Füsse verehren; jetzt bleibt mir nur die Erinnerung: unsere spielerischen Worte, frische Blumen auf unserem Kissen, seine liebende Umarmung [...] Er kam allein, wohlvertraut mit der Weisheit des Kama, und seine Umarmung verschmolz uns beide in eins.»

Das moderne städtische Publikum würde solche Passagen am liebsten streichen. Doch an dieser Stelle in der Komposition ist es schwierig, Veränderungen vorzunehmen, denn die «peinlichen» Zeilen stehen genau in der Mitte des Textes. Dafür wird die letzte Zeile gestrichen, die da lautet: «Die Mondstrahlen verbrennen meinen Körper, der von der Trennung von meinem Herrn schmerzt, der sanft meine zarten, duftenden Brüste mit ihren feinen filigranen Linien rieb. Die Erinnerung an unsere Vereinigung taucht mich in eine Wolke berauschender Gefühle.»[81]

Es scheint, als habe Shiva in Madurai alle Eigenschaften der Helden der früheren Zeiten übernommen, so, wie er in den alten Dichtungen gepriesen wurde. Die Rollen als Liebhaber und Ehemann mit den Charakteristika von Schönheit und Rausch machen ihn zu einem idealen tamilischen König, der die Welt der Liebe feiert.

Shiva hebt die Verwirrung in Tirukkurralam auf Der dritte Pilgerschrein in Tirukkurralam führt uns auf ein Schlachtfeld.[82] Hier, in der Nähe der heutigen Grenze zwischen Kerala und Tamil Nadu, kämpfte den Mythen nach Shiva gegen die drei Städte der Antigötter (siehe Kat. 24 und 62). Mit einem einzigen Pfeil brannte er ihre drei Festungen nieder und zerstörte ihr Reich. Nur ein paar Einwohner, seine treuen Anhänger, überlebten.[83]

Bei den Worten «Beschütze [uns], der du sitzt
unter dem Schatten des steinernen Banyanbaumes»,
wurden alle Himmlischen zu einem einzigen Wagen.
Ayan spannte die Veden [als Pferde] an
und setzte ihn in Gang,
der Wind brachte starkes Feuer,
Hari wurde Pfeil, Vasuki die Sehne,
der [Welt-]Berg sein Bogen [...]
So zielte er auf die Festung,
Er, dessen Wohnsitz Vilimilalai ist.[84]

So besingt der heilige Sambandar seinen Herren Shiva als den Bezwinger der drei Städte.[85] Den Erzählungen zufolge hatten hier früher einheimische Antigötter (Skr. *asuras*) geherrscht. Als Lohn für ihre Askese und ihre Verehrung sprach ihnen Shiva drei Städte (Skr. *tripura*) zu. Diese Antigötter bedeuteten jedoch eine grosse Bedrohung für die Götter. Um diese Bedrohung zu bannen, benutzten die Götter einen Trick. Sie schlichen sich als «häretische» Jaina-Lehrer bei ihnen ein und brachten sie vom wahren Weg ab. Dadurch geschwächt, konnten die Antigötter ihre Festungen nicht halten. Sie wurden erobert und zerstört.

Eine andere Legende bestätigt das Interesse der Götter an diesem Ort: Zur göttlichen Hochzeit von Shiva und Uma auf dem Berg Kailasa im Himalaya kamen alle Götter auf kleinstem Raum zusammen, um der Zeremonie beizuwohnen. So entstand ein Ungleichgewicht, und die Gipfel der südlichen Berge hoben sich an, während der Kailasa unter dem Gewicht der Götter niedersank.

Um ein Gegengewicht zu schaffen, schickte man den heiligen Agasthya, der oft als Kulturbringer aus Nordindien in Erscheinung tritt, gen Süden und trug ihm auf, auf den drei Gipfeln von Tirukkurralam zu bleiben. Er tat, wie ihm geheissen, und das Gleichgewicht der beiden Gebirge war wiederhergestellt.

Shivas Gattin trägt in Tirukkurralam den Namen Kulalvaymoli Ammai, «die Dame, deren Worte dem Klang der Flöte gleichen»; ihr Platz ist zu seiner Rechten. Der heilige Baum ist hier ein Kurumpala, die Wasserfälle und der Chitraganga-Fluss werden als Ganges des Südens angesehen. In der «leuchtenden Halle» des Tempels führt Shiva seinen eindrucksvollen «Tanz der drei Städte», den *tripura tandava*, auf.[86]

Dem örtlichen Tempelmythos zufolge führte hier Shiva aber mindestens vier weitere *Tandava*-Tänze auf, darunter auch den «Tanz der Glückseligkeit» von Chidambaram. Es heisst dazu, dass Shiva sich in den Zustand eines «Verrückten» tanzte, nachdem er Dakshas Opfer zerstört hatte. Als die Schlacht vorbei war, fand man ihn auf dem Bestattungsplatz, zusammen mit der Grossen Göttin tanzend, umgeben von ihrem Gefolge aus Dämonen und Teufeln.

Den Legenden zufolge ist Tirukurralam ein Ort, an dem die Befreiung von der Wiedergeburt (Skr. *moksha*) erlangt werden kann – das gilt jedoch auch für Tiruvalankatu und Chidambaram.[87] Solche Widersprüche legen die Vermutung nahe, dass mehrere Tempel zentrale Mythen für sich in Anspruch nehmen und miteinander im Wettstreit um ihre Bedeutung, ihre Wunder und die für Pilger zu erwartenden Wohltaten stehen.

Shiva heilt das Leid in Tiruvalankatu Im Norden von Tamil Nadu, nicht weit von der Grenze zu Andhra Pradesh, steht ein alter Tempel, der wahrscheinlich noch aus der Zeit der Pallava-Könige stammt. Hier, im «heiligen Wald der Banyanbäume», empfing die «Dame» oder «Mutter» aus Karaikkal, die schon erwähnte Karaikkal Ammaiyar, Shivas Gnade. Wenn man die gewundenen, staubigen Strassen entlangfährt, fühlt man sich, als reise man zurück zu den frühesten Zeiten tamilischer Gottesverehrung. In der Gruppe der dreiundsechzig Heiligen, die ihr Leben Shiva weihten, sind die Lieder dieser Dichterin sicher die ältesten. Sie werden ins frühe 6. Jahrhundert datiert.

An dieser Stelle sei ihre Lebensgeschichte im Detail erzählt, denn sie spiegelt nicht nur die Wirren der Zeit wider, sondern illustriert wie kaum eine andere Heiligengeschichte die Intensität des *bhakti*, der religiösen Hingabe.[88] Am Ende der Kalabhra-Herrschaft entstanden neue Konflikte zwischen den drei Alliierten, den Chalukya-Fürsten aus Badami, den Pallava-Königen aus Kanchipuram und den Pandya-Fürsten von Madurai, die drei Jahrhunderte lang andauern sollten. Die frühen Chola-Fürsten waren bereits in Vergessenheit geraten. In dieser unruhigen Zeit wurde in einer wohlhabenden Familie in Karaikkal, im Herzen des alten Chola-Reiches, die erste weibliche Heilige geboren.[89] Ihr Name war Punivadi, und schon als Mädchen war ihre spontane Shiva-Verehrung auffallend. Sie wurde mit Paramadattan, dem Sohn eines Kaufmanns aus Nagapattinam, verheiratet. Das Paar lebte glücklich zusammen, bis Shiva in ihr Leben trat.

Eines Tages erhielt Paramadattan zwei wunderbare reife Mangos geschenkt und trug seiner Frau auf, sie für sein Mittagessen aufzuheben. Sie tat, wie ihr geheissen. Da kam ein alter Shiva-Asket zu ihrem Haus und bettelte um Essen. Die fromme Punivadi hatte keine andere Wahl, als ihm eine der beiden Früchte zu geben. Er nahm sie dankbar an. Als ihr Mann zum Mittagessen nach Hause kam, bat er um eine Mango. Punivadi gab ihm die Frucht, die übrig war, ohne den Bettler zu erwähnen. Sie schmeckte Paramadattan so gut, dass er sofort um eine zweite bat. Jetzt sass Punivadi in der Patsche: Woher sollte sie eine zweite Mango für ihren Mann nehmen? In ihrer Verzweiflung betete sie zu Shiva, und als Antwort erhielt sie eine reife Mango! Dieses Mal war die Mango noch köstlicher, sodass Paramadattan begann, an ihrer Herkunft zu zweifeln. Er befragte seine Frau so lange, bis er die Wahrheit erfahren hatte. Dieses übernatürliche Ereignis versetzte ihn in Angst, und er beschloss, dass er die Anwesenheit einer Frau mit solch göttlichen Gaben nicht ertragen konnte. Sorgfältig plante er seine Flucht. Nachdem einige Zeit vergangen war, sagte er zu seiner Frau, er werde sich auf eine Geschäftsreise begeben. In Wirklichkeit aber reiste er ins Ausland, mit der Absicht, nie wieder zurückzukehren.

Die zurückgelassene Punivadi wartete vergeblich. Nach langer Zeit fanden ihre Eltern heraus, dass Paramadattan nach Indien zurückgekehrt war; er hatte wieder geheiratet und lebte mit seiner neuen Frau und einer Tochter im Land der Pandya. Punivadi liess sich in einem Palankin zu ihrem Mann tragen. Als er seine erste Frau sah, fiel seine gesamte Familie samt seiner Tochter, die ebenfalls Punivadi hiess, ihr zu Füssen, als ob sie eine Göttin sei, und bat sie um Vergebung. Sie verzieh ihnen, aber diese schmerzliche Begegnung veränderte ihr Leben: «Für diesen Mann habe ich meine Schönheit erhalten; da sie keinem Zweck mehr dient, bitte ich dich, mein Herr, befreie mich von ihr und verwandle mich in eine Teufelsfrau (Tam. *pey makal*), die deine Füsse anbetet.» Ihr Wunsch wurde ihr auf der Stelle erfüllt, und die schöne Punivadi verwandelte sich in die skelettähnliche Dame von Karaikkal.

Ihr neues Leben begann mit ihrem «Wunderlied» und der «Schnur von Doppeljuwelen». Wie viele Dichterheilige, die ihr folgten, ging sie auf Reisen und erreichte den Berg Kailasa, wo sie darum betete, Shiva und seine Frau Uma erblicken zu dürfen. Als Uma sah, dass Punivadi den Berg rückwärts hinaufkroch, auf ihre Hände gestützt, mit dem Kopf Richtung Tal blickend und den Beinen Richtung Gipfel, lud sie sie ein, näher zu kommen und dem göttlichen Paar gegenüber ihre Wünsche auszusprechen. Diese lauteten: «Eure unvergängliche Liebe» und «Möge ich nie wiedergeboren werden, und falls doch, möge ich Euch niemals vergessen». Ihr dritter Wunsch war: «Erlaubt mir, zu Euren Füssen zu sitzen, zu singen, wenn Ihr tanzt, und den Rhythmus zu schlagen.» Shiva versprach ihr, dass sie in *Alankatu,* dem «Wald der Banyanbäume» in der Nähe von Kanchipuram, für immer zu seinen Füssen sitzen, seinem Tanz zuschauen, singen und ihre Zimbeln im Rhythmus schlagen würde.[90] So wird sie auch dargestellt: Als ausgemergelte Gestalt sitzt sie zu Füssen ihres tanzenden Herrn und schlägt die Zimbeln (siehe Kat. 48 und 49).[91]

Was ist noch über dieses abgelegene Dorf zu sagen? Aus den klösterlichen Quellen erfahren wir, dass Shiva in Tiruvalankatu unter dem Namen *Vataranyeshvar,* «Herr der nördlichen Wildnis», bekannt ist, sowie auch als Devarasinha Peruman oder Vater von Alankatu.[92] Seine Gattin ist *Vantarkulali,* «sie, deren betörend duftendes Haar von Bienensummen widerhallt». Der heilige Baum ist hier ein Yakbaum – ein indischer Brotfruchtbaum, der stets «Banyanbaum» genannt wird und für seine Heilkräfte bekannt ist. Der Tempelteich ist ein See, der Pushkarani, der Heilung von (Geistes-)Krankheiten, gewährt. An seinem Ufer befindet sich ein kleiner Kali-Tempel.

Erreicht man den Ort ein paar Tage vor Beginn des Arudra-Festes, so findet man ihn in hektischen Vorbereitungen. Der gesamte äussere Umgang des Tempels ist mit kunstvollen Mustern aus Reispulver geschmückt, und die Juwelenhalle wird für Shivas Tanz vorbereitet. Der Hymnensänger steht bereit, um die Lieder von Karaikkal Ammaiyar zu rezitieren. Sein Gesang ist anders als der in anderen Tempeln; er gleicht einem Heulen, dem Klageschrei von Karaikkals Vision auf dem Bestattungsplatz, wo sie ihren Herrn tanzen sieht.[93]

Der junge Fuchs schluckt den Reis aus der tiefen Opferschale;
«Das ist uns entgangen», sagen die Teufel verärgert.
Händeklatschend rennen sie
durch den Wald des Bestattungsplatzes.
Dort ist die Bühne, auf der unser Vater tanzt,
sein Bein hochwerfend, den Himmelsbogen berührend,
unser Vater, der in Tiruvalankatu zu Hause ist.

Unser Vater tanzt auf dem Bestattungsplatz,
wo ein kleines Kind sich in den Schlaf weint,
denn es kann seine Mutter nicht sehen,
die fortging, nachdem sie ihr kleines Mädchen
namens Kali mit der Milch ihrer Brust säugte,
sie zart in den Armen haltend,
den Staub von der Haut des Kindes wischend;
Diese Dämonenmutter, die ihre Girlande
von weissen Schädeln zurechtrückt, ihr Mund triefend von Fett.
Dort tanzt unser Vater, der in Tiruvalankatu zu Hause ist.[94]

Karaikkal Ammaiyars Dichtung ist kraftvoll; sie greift Themen aus der früheren Literatur auf, in der tamilische Könige – ermutigt von Dichtern, Musikern, Tänzern und Dämoninnen – in ihren Kriegswagen in die Schlacht ziehen. Dieses Thema ist weit entfernt von Heim, Liebe und Familie; seine Helden feiern ihre Siege an den Rändern menschlicher Existenz: unter den Leichen auf dem Schlachtfeld und den Dämonen des Bestattungsplatzes.

Was geschah noch in Tiruvalankatu? Woraus speist sich der Stolz der Einheimischen auf ihren Tempel? Denn sie halten ihn für sehr viel wichtiger als den berühmten Tempel von Chidambaram, das zentrale Heiligtum der Shiva-Verehrung in Tamil Nadu. Für die lokalen Shiva-Verehrer ist dies der Ort, an dem Shiva und Kali einst in einem wilden Wettstreit tanzten. Die Legende beginnt mit der Entdeckung eines «selbstgeborenen» Shiva-Linga bei der Beseitigung eines Ameisenhügels.[95] Alle Götter kommen herbei und geben dieser neuen Erscheinung den Namen *Vataranyeshvar*. Da tauchen plötzlich zwei Dämonen mit unstillbarem Hunger auf. Nachdem sie fast alles verschlungen haben, beginnen sie, auch noch die Götter anzugreifen. Durga greift ein und bekämpft die Übeltäter. Der Kampf ist schwierig, denn jeder Tropfen Blut bringt neue Dämonen hervor. Die Göttin beschliesst, das Blut in einem Schädel aufzufangen und es zu trinken, sodass es nicht zur Erde fallen kann. Diese Methode funktioniert: Sumba und Nisumba kehren nicht ins Leben zurück. Doch nun geht die Gefrässigkeit ihrer Opfer auf die Göttin selbst über, und sie verwandelt sich in eine rasende Kali. Die Götter werden nervös und wenden sich an Shiva, der sich aufmacht, nach dem Rechten zu sehen. Als er sich in Parvatis Territorium begibt, fährt sie ihn wütend an: «Wer bist du? Dieses Land gehört mir, du hast meine Grenzen überschritten, wie bist du hier hineingekommen?» Vishnu, Brahma und Nada erzittern vor Furcht: Wenn die Göttin nicht einmal ihren eigenen Mann erkennt, was soll dann aus ihnen werden? Die Welt kann es nicht ertragen, wenn diese beiden sich nicht verstehen. Die Götter beraten sich und finden eine Lösung: Shiva und Parvati sind beide gute Tänzer, also sollen sie ihren Streit doch in einem Wettbewerb «austanzen». Die Götter, Weisen und mächtigen Schlangen nehmen ihre Plätze ein, um sich den Wettbewerb anzusehen, der gleich in der Juwelenhalle beginnen wird.

Shiva blickt nach Süden, Kali nach Norden. Shiva eröffnet den Wettstreit mit einem schwierigen *tandava;* doch dieser ist nicht schwierig genug für die Göttin, die seine Bewegungen mühelos nachvollzieht. Shiva tanzt und tanzt, er tanzt siebzehn *tandavas,* aber die Göttin ist ihm ebenbürtig. «Das führt zu nichts», denkt sich Shiva, «ich muss mir etwas Schlaues ausdenken, einen Trick, was auch immer.» Er bemerkt, dass einer seiner Ohrringe zu Boden gefallen ist. Er hebt ihn mit den Zehen auf und schwingt sein Bein nach oben, um ihn wieder anzuhängen. Kali ist von dieser spontanen Vorführung verwirrt und fragt sich, welcher Tanz das wohl sein mag. «Es muss irgendein *tandava* sein, aber ich weiss nicht, welcher.»

Als ihre Konzentration nachlässt, fühlt sie sich plötzlich müde. Der Wettbewerb hat das dämonische Feuer aus ihrem Körper gesaugt, und sie kehrt langsam zu ihrem normalen Selbst zurück. Und plötzlich nimmt sie das Publikum wahr: die Götter, die Weisen und die Schlange, die normalerweise in den Urgewässern ruht. Wie die Legende sagt: «Sie kehrte zu ihrem eigenen Gedanken zurück» und beschloss, diesen Wettbewerb nicht fortzusetzen. Damit hatte sie verloren, und sie musste die Bühne Shiva als Sieger überlassen, der sie mit seinem «Tanz mit dem einen angehobenen Bein» (Skr. *urdhvatandava*) überlistet hatte.

Nach dem Wettbewerb behielt die Göttin ihr Doppelwesen: Sie lebte als Kali (siehe Kat. 26) am Ufer des Sees und als schöne Parvati (siehe Kat. 30, 31, 33), in deren Haar die Bienen summen, neben dem tanzenden Shiva.

Ein heiliger Baum erinnert an den Wettbewerb, der in Tiruvalankatu, dem heiligen Wald der Banyanbäume, stattfand, und bildet ein verlässliches Zeichen dafür, dass Shiva Krankheit, Chaos und Bedrängnis heilt. Sein Tanz mit dem einen angehobenen Bein ist der Tanz der Rettung (Skr. *anugraha*). Sein Schrein ist ein Ort, wo dem Anhänger Erlösung (Skr. *moksha*) gewährt wird. Wer die Hilfe Shivas oder der Göttin zur Heilung von psychischen und physischen Erkrankungen braucht, bindet ein Stück seiner Kleidung an den Baum, der stellvertretend seine Heilkräfte weitergibt.

Shivas Tanz der Glückseligkeit in Chidambaram

Überall ist [sein] heiliger Körper, überall ist Shivashakti.
Überall ist Chidambaram, überall [sein] heiliger Tanz.
Überall kann Shiva lebendig werden, überall, überall.
Wo immer Shiva verweilt, entfaltet sich sein spielerischer Tanz der Gnade.[96]

Mit diesen Worten eröffnet der mystische Heilige Tirumular eine sehr grosse Bühne für Shivas Tanz. Unsere Pilgerreise entlang den vier vorgestellten Schreinen zeigt, dass die Ansprüche auf bestimmte Tänze sich überschneiden. In Tirukkurralam versuchen die Legenden, den *ananda tandava* («Tanz der Glückseligkeit»), für den eigentlich Chidambaram berühmt ist, für ihren Tempel in Anspruch zu nehmen. Die Legenden von Chidambaram dagegen behaupten, der Tanzwettbewerb zwischen Shiva und Kali habe hier in Tillai (ein anderer Name für Chidambaram) stattgefunden, nicht in Tiruvalankatu. Verfolgt man die historische Entwicklung der Machtzentren, so spricht einiges dafür, dass der Mythos in Tiruvalankatu entstanden ist, das in der Nähe des Machtgebietes der Pallava-Könige in Nord-Arcot und deren Hauptstadt Kanchipuram lag.[97]

Doch hat Chidambaram erfolgreich den Anspruch auf diese Gründungslegende behauptet. Chidambaram wurde zum Zentrum der Shiva-Verehrung in ganz Südindien. Diese Entwicklung hängt eng mit den politischen Verhältnissen zur Zeit der sich etablierenden Chola-Könige zusammen. An dieser Stelle ist unbedingt der Dichter und Heilige Manikkavacakar (siehe Kat. 45 und 46) zu nennen, der vermutlich im 9. Jahrhundert lebte. Manikkavacakars Werke, das *Tiruvacakam* und das *Tirukkovaiyar*, bilden einen Teil des *Tirumurai*, des «Heiligen Erbes».[98] Zusammen mit den Gesängen der Nayanars sind seine Lieder noch heute der Kern der tamilischen shivaitischen *Bhakti*-Frömmigkeit, sowohl in Indien als auch in der Diaspora.[99]

Laut hagiografischer Überlieferung wurde Manikkavacakar in einer Brahmanenfamilie in Tiruvatavur am Vaikai-Fluss im südlichen Tamil Nadu geboren. Sein Vater war ein Ratgeber eines Pandya-Königs, wahrscheinlich von Varaguna Pandya II. (862 – 880 n. Chr.). Zunächst trat er in die Fussstapfen seines Vaters und diente zuerst als Verwalter, dann als oberster Minister. Es heisst weiter, dass er seine erste Erleuchtung hatte, als er seinen späteren Guru traf, einen Lehrer der shivaitischen Siddhanta-Tradition. Dieser gab ihm dann auch seinen Namen, der in der Übersetzung «Dessen Worte wie Rubine sind» bedeutet. Seine glühende Verehrung für Shiva brachte Manikkavacakar dazu, einen Shiva-Tempel zu errichten. Damit begannen seine Prüfungen. Seine Reisen als Bettler führten ihn schliesslich ins Land der Chola, wo ihm in Chidambaram Shivas Gnade zuteil wurde.

Mit den Chola-Königen wuchs die Bedeutung von Chidambaram als Zentrum ihres Imperiums. Chola-Kaiser wurden hier gekrönt. Während die Pallava-Dichterheiligen unermüdlich Pilgerreisen durch ganz Tamil Nadu unternahmen, um Shiva in kleinen Ziegelschreinen zu sehen, stand der spätere Shiva Nataraja in Chidambaram «beladen mit Ornamenten in seinem riesigen Tempel-Palast»[100]. Shiva als Nataraja wurde zu einer Ikone des Chola-Reiches.[101]

Was erzählen die Mythen über die Entstehung von Chidambaram?[102] Im Wald von Tillai, so heisst es, lebte ein Weiser, der das Shiva-Linga verehrte. Dieser wartete darauf, Shivas heiligen Tanz zu sehen. Shiva hatte ihm «Tigerpfoten» gegeben, sodass er mühelos auf Bäume klettern und Blüten als Opfergaben pflücken konnte. Sein Name war Vyaghrapada, «Tigerfuss», und Tillai wurde zu Puliyur, zur «Tigerstadt». Aber was brachte Shiva nach Tillai, um dort seinen Tanz aufzuführen?

Shiva hatte sich einst über Brahma geärgert, als sie wieder einmal um die Frage stritten, wer unter den Göttern der grösste sei. Brahma hatte darauf bestanden, dass *er* über allen der «Schöpfer» sei und deshalb der höchste Gott sein müsse. Seine Arroganz kannte keine Grenzen. Schliesslich konnte es Shiva nicht mehr ertragen, und er nahm seine schreckliche Form als Bhairava (siehe Kat. 13) an. Im Bruchteil einer Sekunde schlug er einen von Brahmas fünf Köpfen ab. Diese Tat hatte schwerwiegende Folgen. An Shiva blieb sie als Sünde haften – in Form von Brahmas Kopf, der fest an seiner Hand klebte. Um ihn wieder loszuwerden, musste Shiva das Gelübde eines «Schädelträgers» ablegen: Er musste diesen Schädel überall mit sich herumtragen und um Almosen betteln, bis er spontan von seiner Hand abfallen würde. Shiva wurde also zum heiligen Bettler und gelangte schliesslich als Wanderasket in einen Wald in Tillai (siehe Kat. 56 und 57).

Trotz seines Gelübdes, für sein Verbrechen zu sühnen, das er an Brahma begangen hatte, hatte seine Abneigung gegenüber diesem überheblichen Gott sich nicht verändert. Hinzu kam, dass Shiva noch immer zornig auf die vedischen Opferpriester war, die seine erste Frau Sati dazu getrieben hatten, sich selbst zu verbrennen. Zu dieser Zeit weilte im Wald von Tillai eine Gemeinschaft von Weisen, die den vedischen Traditionen zwar nachgingen, aber nicht Shiva verehrten. Noch immer voller Zorn über die Arroganz der vedischen Weisen dachten Shiva und Vishnu sich eine Rache aus.[103] Beide Götter wurden zu leidenschaftlichen Verführern. Vishnu verwandelte sich in die schöne Mohini und konzentrierte sich auf die murmelnden Weisen. Shiva als nackter Bettler brachte seinen Körper mit Askese (Skr. *tapas*) zum Leuchten. Sein Flöte- und Trommelspiel erregte die Aufmerksamkeit der Frauen der Weisen, die ihn anstarrten «wie Trunkene». Langsam fielen irgendwie ihre Kleider von ihnen ab. Ihre Männer, die Weisen, sahen, wie sie die Kontrolle verloren, und versuchten, Shiva zu verfluchen, doch vergeblich.

Dann entzündeten sie ein Opferfeuer, um den Gott durch Zauberei zu töten. Eine bösartige Kreatur nach der anderen kam aus den Flammen hervor und griff Shiva an: ein Tiger, eine Schlange, eine Antilope, aber Shiva packte die Tiere, häutete sie und trug ihre Haut als Schmuck; er wurde mit einer Flamme und einer Axt beworfen, doch Shiva fing sie auf, als sei es ein Spiel. Schliesslich erschien ein Dämonenzwerg namens Muyalakan, der auch unter dem Namen Apasmara bekannt ist, und stürzte sich auf den Gott. Shiva rang ihn zu Boden, zerschmetterte sein Rückgrat und begann, auf seinem Rücken seinen *tandava* zu tanzen, umgeben von einem Feuerkranz.

Die Weisen waren tief beeindruckt, die Götter versammelten sich, und die schöne Shivakami gesellte sich zu ihrem Mann, um ihn tanzen zu sehen. Dies ist der kraftvolle und freudige *ananda tandava*, der Tanz, den Götter und Sterbliche zu sehen wünschen. Shiva versprach, diesen Tanz als ein Zeichen der «Gnade» in Chidambaram zu tanzen, und tut es seit dieser Zeit.

Der Tanz der Glückseligkeit

Shivas Tanz steht für die Vereinigung von Shiva und seiner *shakti*, der weiblichen Macht. Ihre Wiedervereinigung ist die Quelle von *ananda*, «göttlicher Glückseligkeit». Eine tiefe Sehnsucht nach ihrem Urzustand als *ardhanarishvara* (siehe Kat. 14) vereint Shiva und Shakti wieder in einem Wesen nach all ihren Trennungen, Streitigkeiten und ihrer Gegnerschaft im Spiel:

> *Die Gestalt von Shakti ist reine Freude.*
> *Diese vereinigte Glückseligkeit ist Parvatis Körper.*
> *Shaktis Körper erhebt sich zu sichtbarem Leben.*
> *Die Glückseligkeit, die beiden zu vereinen,*
> *ist der eine perfekte Tanz.*[104]

Eine zentrale Figur für die Interpretation von Shivas Tanz ist die Kreatur, die er zerschmettert und unter seinem Fuss festhält. Also wer ist dieser Muyalakan?

Normalerweise wird sein Name als «Unwissenheit» oder «Epilepsie» interpretiert, aber Letzteres scheint nicht in diesen Zusammenhang zu passen. Wörtlich bedeutet der Name dieses Wesens «der mit dem Zeichen des Hasen». Wie sollen wir also diese Benennung verstehen? Wenn wir dem Wortgebrauch nachgehen, gelangen wir zum *Kamasutra*, dem berühmten Handbuch der Erotik. Dort findet man das Hasenfusszeichen als eines der sechs Zeichen aufgelistet, die ein Liebhaber während des Liebesspiels mit seinem Nagel auf den Körper der geliebten Person drücken darf. Ein solches Zeichen wird die geliebte Person mit Stolz tragen und zur Schau stellen.

Ein weiterer wichtiger Hinweis zur Bedeutungsklärung von *muyalakan* findet sich bei dem schon erwähnten Dichter Tirumular: «Äther ist sein grossartiger Körper, der schöne schwarze [Fleck] Muyalakan. *Muyalakan* ist hier ein Schönheitsmal, das Shiva auf seinem kosmischen Körper trägt.[105] Und was bedeutet Muyalakans anderer Name Apasmara? Auch im zweiten Namen des Dämonen schwingen sexuelle Untertöne mit: *Apasmara* bedeutet «entfernt von» oder «falsches *smara*». Wer oder was ist *smara?* Die Etymologie dieses Begriffes ist vielfältig: *Smara* bezieht sich auf das Gedächtnis, steht aber auch in Verbindung zu Liebe und Verehrung.

Smara als Person ist aber auch ein Name für *Kama,* den Gott der «Liebe». Könnte man nicht also vermuten, dass Shiva auf der falschen Liebe tanzt? Wäre das nicht eine Metapher für eine Liebe, die isoliert und aus Gefühlen geboren ist, die keinen Bezug zu einer wahren Einheit des Seins kennt? Shivas Spiel mit den Frauen der weisen Männer weist doch auf einen isolierten, unglücklichen Zustand hin. Doch in dem Moment, in dem er mit dieser Gefahr konfrontiert wird, verwandelt er die Gefühle: Er zerstört den falschen Liebesgott nicht, sondern trampelt ihn zu Boden. Er bezwingt ihn und sichert ihm so einen Platz in seinem Tanz. Shiva und die Göttin eliminieren die Gefahren nicht, die sie bedrohen, sondern sie verwandeln sie. Sie bringen sie unter ihre Kontrolle.

Das *Chidambaram-Mahatmya* berichtet von Vishnus Reaktion, als Shiva seinen Tanz der Glückseligkeit tanzte: «Mir an seiner Seite war auch nicht wohl dabei. Als er mit dem Tanz begann, überkam mich grosse Furcht wie nie zuvor. Doch Shiva besänftigte meine Furcht schnell mit seiner Hand, die im Glanz des Schlangenarmbandes leuchtete. Er dachte an Parvati, und sie kam.»

Alle Götter überschütten nun das wieder vereinte göttliche Paar mit Blumen. Mit seinem Tanz verwandelte Shiva allen Zorn, alle Aggression und alle Gefahren in ein abschliessendes «glückliches Ereignis».

Daraufhin fangen alle Weisen Stiere, Asketen, Geister und göttlichen Heerscharen an zu tanzen. Shiva enthüllte die geheime Bedeutung seines Tanzes: «[…] Mein Tanz der Glückseligkeit ist der Aufstieg des Vollmondes aus dem Ozean der höchsten Glückseligkeit. Stellt euch den Tanz in Form eines Linga vor. Stellt dieses in diesem Wald hier auf und verehrt es unermüdlich. Die Verehrung dieses Linga wird ein Grund zur Freude und Erlösung sein. Sie wird euch den höchsten nicht endenden Zustand verleihen, der durch kein anderes Mittel zu erlangen ist.»[106] Nach diesen Worten verschwand das göttliche Paar in den Himmel. Die Götter verbeugten sich freudig in die Richtung, in die es verschwunden war, und kehrten dorthin zurück, woher sie gekommen waren, tief befriedigt, dass sie Shiva gesehen hatten.[107]

Kehren wir zum Schluss zur eingangs geschilderten Entstehung des Dramas zurück. Brahma hatte sofort reagiert, als er bemerkte, dass es seiner Lehre an *kaishiki* mangelte, der «weiblichen Präsenz» voller «Geschmack der Liebe» (Skr. *shringara rasa*). Unter den acht *rasas* – den möglichen Wirkungen einer Theateraufführung beim Publikum – wird dieser «Geschmack» als der höchste angesehen. Das *shringara rasa* ist fähig, all die anderen sieben «Geschmäcker» – komisch, Mitleid erregend, heroisch, wütend, schrecklich, widerwärtig und Staunen erregend – zu übertreffen.[108] Erst am Ende des ersten Jahrtausends fügten Philosophen wie Abhinavagupta ein neuntes *rasa* zu Bharatas Ästhetik hinzu: *shanta,* «Transzendenz», «Gleichgewicht». Doch der «Geschmack der Liebe» blieb weiterhin das höchste *rasa* der Hingabe.[109]

Shiva trampelt in seinem Tanz der Glückseligkeit auf dem Dämon der Entfremdung herum, im Rhythmus des Lebens, und seine geliebte Shivakami gesellt sich wieder zu ihm. Der Feuerkranz, der seinen Tanz umgibt, und die Wiedervereinigung von Gott und Göttin verbrennen alle frühere Dunkelheit im Leben, in der Seele und im Herzen. Die brennenden Flammen verwandeln alles Unreine in Gold, die Substanz, nach der alle Alchemisten suchen, weil sie die bleibende Qualität des Lebens ist, unbefleckt, ewig leuchtend, strahlend und Glück verheissend. Golden ist auch das Dach über seinem Tanz: Die goldene Halle in Tempel von Chidambaram ist ein dauerhaftes

Zeichen der Anwesenheit Shivas, seines Tanzes und seiner Fähigkeit, alles Unreine, alles Leiden und alle Sehnsucht in Gold zu verwandeln. Gold schmückt ihn während der Feste und Prozessionen. Wenn er seinen Tanz der Glückseligkeit vollzieht, überträgt er den Menschen Glück, dem Tempel und der Stadt. Der schon erwähnte Manikkavacakar besingt anschaulich die verwandelnde Wirkung von Shivas Tanz. Ihm soll das Schlusswort vorbehalten sein:

Wir hängen Glück bringende Perlenhalsketten und Blumengirlanden auf,
stellen Wassergefässe auf, die den Keim des Lebens enthalten, Weihrauch und Lampen,
singen Hymnen an Shakti, die Erdgöttin, Sarasvati, Gauri, Parvati
und den Fluss Ganga.
Wir wedeln eilig den Fächer und singen vom Vater, Aiyar, dem Gnädigen,
während wir tanzend den Goldstaub zerstossen.

Für unseren Herrn, in dessen Locken Blumen erblühen,
muss Goldstaub zerstossen werden:
Ihr, mit euren Augen so schön wie Mangospalten,
kommt, kommt und singt, singt laut,
haltet euch nicht fern von den Anbetenden,
verbeugt euch und verehrt unseren König, den Tänzer und die Göttin,
die gekommen sind, über uns zu regieren, für sie
stossen und stossen wir den Staub von rotem Gold.

Die Welt ein einziger grosser Mörser,
stellt euch den riesigen Berg Meru als Stössel vor,
lasst den Schmuck des goldenen Safrans reichlich fliessen,
seht ihn als Wahrheit an.
Besingt ohne Pause die schönen heiligen Füsse
unseres Herrn der Stadt Perunturai,
des Hervorragenden aus dem Süden,
greift den Stössel mit der rechten Hand.
Wir stossen und stossen den Staub des roten Goldes
und tanzen für den Himmlischen im schönen Tillai.[110]

Devidasa von Nurpur, «Shiva und Parvati beim kosmischen Würfelspiel», Indien, (Punjab Hills, Basohli), datiert 1694/95
Pigmentmalei, Silber und Gold auf Papier, Bildmass H. 17 cm, B. 28 cm
The Metropolitan Museum of Art, 57.185.2, Geschenk Dr. J. C. Burnett, 1957

Shiva und Parvat würfeln um das Geschick der Welt. Gewinnt die Göttin, so dehnt sich die Schöpfung aus, gewinnt Shiva, so zieht sie sich in ihren Ursprung zurück. Am Ende triumphiert jeweils Parvati, denn das Leben siegt immer über den Tod (siehe auch S. 48). Die abgebildete Szene zeigt Shiva, der gerade gemogelt hatte: Parvati hat ihre Halskette an ihn verloren und erbittet sie nun von ihm zurück.

Anmerkungen

1 Siehe die Sanskrit-Ausgabe und englische Übersetzung von Gosh 1967, besonders Kapitel 1, 2, 4 und 5; alle deutschen Übersetzungen gehen auf die englischen Übersetzungen der Autorin zurück.
2 Zur Datierung des *Cilappatikaram* siehe zum Beispiel Zvelebil 1973, S. 172 ff. Für die tamilische Originalausgabe siehe Caminathaiyar 1985; alle Übersetzungen aus dem Tamil im vorliegenden Beitrag gehen auf die Autorin zurück.
3 Das Sanskrit-Wort *shristhi* bezeichnet den Vorgang der Entstehung oder Entfaltung, *pralaya* bezeichnet die Auflösung des Universums beziehungsweise sein Verschwinden, Vergehen, das In-sich-Zusammenfallen, Verschlungenwerden.
4 Diese Passage des *Skandapuranas* 4, Kashikanda, 88,5–12 wird von Handelman und Shulman 1997, S. 66 zitiert. Die Interpretation der Felsentempel von Elephanta und Ellora und der Puranas mithilfe des Würfelspiels, *cokkattan* auf Tamil oder *chaupar* in Hindi, ist die zentrale Metapher im vorliegenden Beitrag.
5 Die vier Veden *Rigveda, Samaveda, Yajurveda* und *Atharvaveda* sind Sammlungen von Hymnen, Ritual- und exegetischen Texten. Sie werden von Philologen ins 2. Jahrtausend v. Chr. datiert. Im brahmanischen Hinduismus gelten sie als «offenbart» und ewig.
6 Der Name Bharata des legendären Autors des *Natyashastra* ist auf zweifache Weise interessant: Erstens unterstreicht er als Synonym für «Indien» den gesamtindischen Anspruch des Werkes. Zweitens dient heute der Begriff Bharata Natyam als Label für den klassischen indischen Tanz. Siehe hierzu unter anderem Vishwanathan Peterson und Soneji 2008.
7 Der Legende zufolge war Folgendes passiert: Als die Götter und Antigötter den Ozean des Lebens quirlten, um den Unsterblichkeitrank zu gewinnen, trat zuerst eine giftige dunkle Substanz aus. Dieses Gift drohte alle ihre Bemühungen zunichtezumachen. Da entschloss sich Shiva, die tintenfarbige Flüssigkeit zu trinken. Sein Name «Blauhals» (Skr. Nilakantha) erinnert daran, dass sich seine Kehle blau verfärbte, als er das Gift trank. Für die ganze Geschichte siehe beispielsweise Menon 2006, S. 71–85.
8 Bis vor Kurzem waren professionelle Tänzerinnen «Gottesdienerinnen» (Skr. *devadasis*) in Hindu-Tempeln für Rituale, Musik- und Tanzvorführungen zuständig. Sie nahmen für sich in Anspruch, die Nachfahrinnen dieser von Brahma geschaffenen Nymphen zu sein.
9 Die Terminologie des *Natyashastra* ähnelt den späten *Agamas,* Handbüchern in Sanskrit über Bedeutung, Methoden und Techniken religiöser Tempelpraxis. Schomerus 2000, S. 1–17, zögert zwar bei der Datierung, favorisiert aber einen südindischen, also dravidischen Ursprung. Für Detailuntersuchungen siehe vor allem Hiltebeitel 1988 und 1991.
10 *Natyashastra* 1, Verse 104–105.
11 Zu Ganesha siehe Beltz 2003. Vgl. hierzu Kat. 37 und 54.
12 Für weitere Details siehe Huizinga 1955, S. 5–15.
13 Das Sanskrit-Wort *puja* bedeutet wörtlich «Ehrenbezeigung, Ehren, Verehren, Auszeichnung» und bezeichnet verschiedenste Rituale zur Ehrung von Göttern, Gurus, Geistern oder unbelebten Dingen.
14 Siehe *Natyashastra* 3, Verse 93–101.
15 Siehe Glossar, S. 193.
16 Siehe Vishwanathan Peterson 1989, S. 95.
17 In späteren Quellen ist *sadhaka* durch *moksha,* «Befreiung aus dem Kreislauf der Wiedergeburten», ersetzt.
18 Nandi ist ein zentrales Thema in der Ausstellung. Siehe hierzu zum Beispiel Kat. 9, 10, 21, 67.
19 Noch heute strömen Menschen in die Tempel, um die abendlichen «grossen Reinigungen» der Götterbilder zu sehen. Bis 1947 führten Tempeltänzerinnen mithilfe einer irdenen Lampe (siehe auch Abb. 2) diese rituelle Reinigung der Götter durch. Das Entfernen des bösen Blicks war die zentrale Aufgabe der Tempeltänzerinnen, bis diese Praxis 1947 durch den Devadasi Act verboten wurde. Siehe dazu Kersenboom 1987, S. XXI, sowie Goel und Kersenboom 1998.
20 Das Wort *tandu* lässt einen dravidischen Ursprung vermuten. So übersetzt das *Dravidian Etymological Dictionary* das Verb *taantu* in Tamil, Malayalam, Kota, Toda, Kannada, Telugu und Kolami mit «tanzen, springen und hüpfen».
21 Die Skulpturen, die man auf Friesen und Wänden südindischer Tempel findet, sind ein bleibendes Zeugnis der Elemente von Shivas Tanz. Das tamilische *Cilappatikaram* beschreibt einen ähnlichen Reichtum an Technik und Tanzelementen wie das *Natyashastra,* siehe hierzu Kersenboom 1987, S. 181 f.
22 Bezüglich Parvati und Kali siehe die Kat. 30, 31, 33, 58 und besonders die Geschichte von Kalis Wettstreit mit Shiva auf S. 70.
23 *Natyashastra* 5, Vers 130, deutet auf den berühmten Tanz der Glückseligkeit hin.
24 Vergleicht man das *Natyashastra* mit dem *Cilapatikkaram,* so erhält man einen Eindruck, wie viele Tänze an den neun Kardinalpunkten der Tempel allein als Vorbereitung zu einer Prozession aufgeführt wurden.
25 So schliesst das fünfte Kapitel des *Natyashastra* über die Rituale, die im Vorfeld der Aufführung durchzuführen sind.
26 Handelman und Shulman 1997, S. 32–37.
27 Zu *shrishthi* und *pralaya* siehe Anmerkung 3.
28 Handelman und Shulman 1997, S. 78.
29 Siehe hierzu Kersenboom 1987, S. 137 f.
30 Siehe *Tiruvilaiyatarpuranam* (Tam. «Die alten Legenden von Shivas spielerischen Tänzen», datiert ins 12. Jahrhundert), besonders Kapitel 4 und 5 in der Ausgabe von Irattinanayakar.
31 Kersenboom 1987, S. 107 ff.
32 Zum Folgenden siehe *Kumaratantra,* Kapitel 30, 4, in der Ausgabe von Sarma 1974. Dort heisst es, dass *utsavas* auch am Geburtstag des Königs, der sieben Sterne und des Dorfes aufgeführt werden sollen, ausserdem anlässlich der «Salbung des Königs», wenn er einen Sieg in der Schlacht errungen hat und bei seinem Tod. Für eine detaillierte Beschreibung einer hinduistischen Prozession siehe besonders Kersenboom und Voorter 2008.
33 Sowohl das *Natyashastra* als auch das *Cilappatikaram* werden im Monat *cittirai* beim Fest zu Ehren des Gottes Indra, des Regenbringers und Götterkönigs, aufgeführt.
34 *Shriprashnasamhita,* Kapitel 38 in der Ausgabe von Padmanabhan 1969. Shrimati P. Ranganayaki, ehemalige Tempeltänzerin am Murukan-Schrein in Tiruttani, beschreibt hier die komplexen Musik- und Tanzdarbietungen während der Prozession und der Abendrituale im Schlafzimmer des heiligen Paares.
35 Reiniche 1979, S. 77 und Ayyar 1921, S. 75 ff.
36 Reiniche 1979, S. 44 ff.
37 Handelman und Shulman 1997, S. 32.
38 Reiniche 1979, S. 46.
39 Zu den acht Kräften der Göttin siehe Ayyar 1921, S. 78.
40 Siehe im ersten Teil dieses Beitrags, S. 44 f.

41 *Periyapuranam* in der Ausgabe von Cupparayanayakar 1893, Teil 1, *Tirunavukkaracar,* S. 454–614. Die deutsche Übersetzung folgt der englischen Übersetzung der Autorin. Vgl. als Alternative die deutsche Übersetzung von Schomerus 1925.

42 *Tevaram, Tirunavukkaracar, patikam* 204 in der Ausgabe von Cuppiramnaiya Pillai 1976, S. 282.

43 Das tamilische *Periyapuranam* (Tam. «Grosse Legende») erzählt die Geschichten der Nayanars. Es wurde von Cekkilar vermutlich im 12. Jahrhundert kompiliert. Da Cekkilar sich selbst mit auf die Liste der ursprünglich 62 Heiligen setzte, beträgt die Gesamtzahl jetzt 63. Siehe hier *Periyapuranam* in der Ausgabe von Cupparayanayakar 1893, Teil 1, *Tatuttatkontapuranam,* S. 56–141; vgl. die deutsche Übersetzung von Schomerus 1925.

44 Das Lied ist im *Tevaram* überliefert, einer Sammlung von Heiligenliedern aus dem 13. Jahrhundert, siehe *Tevaram, Cuntarar, patikam* 1, in der Ausgabe von Nataracan (ohne Jahr), S. 36.

45 Die Gesänge der Tempeltänzerinnen gehören bis heute zum Repertoire der Tempelmusiker. Beim Brahmotsava spielen sie zum Beispiel eine Komposition, zu der getanzt wird. Shiva spielt dort die Rolle eines Vermittlers in dem Liebesstreit zwischen Sundarar und seiner ersten Frau, der Tempeltänzerin Paravai.

46 Diese Tänze sind jedoch nicht ungefährlich. Ein Kapitel des *Natyashastra* widmet sich möglichen Gefahren, die mit einer Aufführung verbunden sind. Diese Gefahren können von aussen kommen, von den Göttern, die für ihren Jähzorn und ihre Eifersucht bekannt sind, von Feinden oder unvorhergesehenen Unglücksfällen, aber auch aus dem inneren Leben der Spieler. Vgl. Reiniche 1979, S. 213 ff.

47 Fell McDermott und Kripal 2005, S. 84.

48 Fell McDermott und Kripal 2005, S. 85.

49 Bis heute stehen im «Oberen Tiruttani» ein paar Häuser hinter dem Tempel. Vor 1947 lebten die Tempeldiener zu beiden Seiten des Tempelbassins, das *dasi kulam* genannt wurde: der Priester auf der rechten Seite, die Tempeltänzerinnen auf der linken.

50 Reiniche 1979, S. 53 f.

51 Zvelebil 1982, S. 873 und S. 907–912.

52 *Tiruvacakam, Tiruvempavai,* Vers 16; vgl. Ausgabe von Pope 1900, die vorliegende deutsche Übersetzung geht auf die englische Übersetzung der Autorin zurück; siehe auch Frenz und Albrecht 1977.

53 Huizinga 1987, S. 23.

54 Shivas und Parvatis Rückkehr zu einem ungeteilten, «seligen» Zustand spiegelt sich in Vishnus Rückkehr in seinen Himmel beim Fest Vaikuntha Ekadasi, das etwa zur selben Zeit stattfindet.

55 Zvelebil 1973, S. 47 und Kapitel 4, S. 45–65.

56 Zvelebil 1973, S. 84–110; besonders S. 104. Zvelebil baut auf früheren Werken von Ramanujan 1967 und Kailasapathy 1968 auf.

57 *Purananuru* 186, für weitere Details zu dieser frühen Dichtung siehe Kersenboom 1981, S. 23 ff.

58 Schon die frühesten schriftlichen Zeugnisse nennen drei Königreiche: die Chera im heutigen Staat Kerala, die Pandya in und um die Stadt Madurai, und die Chola-Könige, deren Hauptstadt nicht weit vom heutigen Tanjavur entfernt lag. Siehe Sastri 1955, S. 110 ff.

59 Dieser Tanz heisst *tunankai,* siehe dazu Kersenboom 1981, S. 29.

60 Karavelane 1982, S. 62, Verse 4 und 6.

61 Vishwanathan Peterson 1989, S. 118–123.

62 Zu Nilakantha siehe Anmerkung 7.

63 Shulman 1980, S. 337–346; vgl. auch Kat. 20, 64.

64 *Natyashastra* 1967, Kapitel 4, Vers 262. vgl. Kat. 64; zu Andhaka siehe Handelman und Shulman 1997, S. 113–158.

65 Skr. *sada sukhadayi,* vgl. *Natyashastra,* Kapitel 5, Verse 130–131.

66 Es handelt sich um die Pose, in der er «erschrocken von einer Schlange» sitzt. Siehe *Natyashastra, Tandavalakshanam,* Kapitel 4, Verse 86 und 97.

67 Siehe unter anderem Lohuizen-de Leeuw 1964, S. 162 ff.

68 Der Text des *Tiruvilaiyatalpuranam* wurde zunächst im 12. oder 13. Jahrhundert von Perumparrapuliyur kompiliert, bevor er durch Parancoti im 16. oder 17. Jahrhundert eine weitere Bearbeitung erfuhr. Siehe dazu die Ausgabe von Mutaliyar (ohne Jahr) und besonders Dessigane und Filliozat 1960.

69 Siehe Narayanaswamy 2001. Der Autor unterscheidet zwischen acht *Tandava-*, fünf *Niruttam-* und zwei *Atal-*Tänzen. Dieses interessante Werk enthält eine Vielzahl von Fotografien und Federzeichnungen, die die verschiedenen Tänze des Shiva Nataraja darstellen.

70 *Tirumantiram,* Ausgabe von Varatarajan 1985. Das Tantra IX, 2727 folgt hier nach einem langen Kapitel über die Yoga-Atmung, dem Wesen der Töne und der verschiedenen Formen der fünfsilbigen Formel *shi-va-ya-nama-ha,* («Eh-re-sei-Shi-va»).

71 *Tirumantiram,* Tantra IX, 2799. Für weitere Ausführungen zu diesem Thema siehe Kersenboom 1987, S. 118 f.

72 Nilakanthata Sastri 1955, S. 139 f.

73 Zum *Tevaram* und *Tiruvacakam,* siehe Zvelebil 1973, S. 185–207.

74 Narayanaswamy 2001, S. 29–32.

75 *Tevaram, patikam* 81. Siehe Ausgabe von Cetiyar 1973, S. 118.

76 Der griechische Reisende Megasthenes identifizierte sie als Königin Pandaia, Tochter des Herakles, siehe Nilakantha Sastri 1955, S. 26.

77 Sein tamilischer Name ist Cokkecar, «schöner Herr», oder Cokkalinka Natar, «Beschützer des schönen Linga» Ein anderer interessanter Name ist Alavay Annal, «Feuer von Alavay».

78 Narayanaswamy 2001, S. 23 ff.

79 Persönliche Mitteilung von Shrimati P. Ranganayaki, frühere Tempeltänzerin am Shri-Subrahmanya-Tempel in Tiruttani. Vgl. Goel, Sanjay und Kersenboom 1998.

80 Das *varnam* in der Melodie von *kamas* und ein Rhythmus-Zyklus mit acht Schlägen wurde von Ponniah (1804–1863) komponiert. Der tamilische Text spricht von der Sehnsucht eines Mädchens, die in den Herrn von Madurai verliebt ist; vgl. Kittappa und Civanantam 1961, S. 126–130.

81 Persönliche Mitteilung an die Autorin von Nandini Ramani, Schülerin der verstorbenen Tänzerin Balasaraswati.

82 Hier kämpften Cheras und Cholas in erbitterten Schlachten; im 5. Jahrhundert bauten die siegreichen Cholas mehrere Shiva geweihte Tempel. Siehe hierzu Nilakantha Sastri 1955, S. 110 ff.

83 Für eine detaillierte Schilderung dieses Mythos siehe Reiniche 1979, S. 104.

84 Das Lied ist Sambandar zugeschrieben, *Tevaram* I.11.6; siehe Cettiyar 1973, S. 24, *patikam* 11 in der Melodie *nattapatai,* Vers 6.

85 Zur Geschichte seines Lebens siehe die Beschreibung Kat. 41 und 42.

86 Narayanaswamy 2001, S. 26 ff.

87 Nagarajan 1996, S. 53.
88 Siehe auch die Kurzversion der Geschichte in den Beschreibungen Kat. 48 und 49.
89 Heute erinnert ein Tempel mit Bildergeschichten an diese berühmte Heilige.
90 Karavelane 1982, S. 74–94.
91 Zvelebil 1985, S. 45 f.
92 Narayanaswamy 2001, S. 21 ff.
93 Siehe Kersenboom und Voorter 2008.
94 Karavelane 1982, Nr. 4, 5, 6, S. 62.
95 Die Legende ist entnommen aus einem anonymen Text in Tamil *Icaintu Arulmiku Vataranyesvarasvami Tirukkoyil Tiruvalankatu Varlarum Perumaiyum,* publiziert 2006. Ins Englische übersetzt von der Autorin.
96 *Tirumantiram,* Vers 1985, IX-8 *Tirukkuttu taricanam,* Vers 2722, vgl. Ausgabe von Varatarrajan 1985, S. 503.
97 Von den früheren Chola-Herrschern war nur noch ein einziger Telugu-Herrscher in Uraiyur übrig. Erst im 9. Jahrhundert unter Vijayalaya (846–871) stiegen die Chola erneut zur Macht auf. Die nun folgenden Chola-Herrscher errichteten Steintempel im Gegensatz zu den ersten Pallava-Felsentempeln und den späteren Ziegeltempeln. Chidambarams Bedeutung wuchs in der Blütezeit der späteren Chola-Dynastie im Süden (985–1279).
98 Zvelebil 1975, S. 144.
99 Vishwanathan Peterson 1989, S. XI.
100 Smith 1996, S. 22.
101 Zur Geschichte des Tempels siehe das *Cidambaramahatmya.* Vgl. Kulke 1970 und Smith 1996, S. 80–103 und S. 214. Vgl. Einleitung Beltz, S. 18.
102 Alle Legenden beginnen mit der Verehrung des Lingas, das sich im Wald von Tillai in der Nähe eines heiligen Teiches manifestierte. Tillai ist bis heute die «Wurzel» des grossen Shiva-Tempels. Vgl. Narayanaswamy 2001, S. 32 ff.
103 Handelman und Shulman 1997, S. 149 f.
104 *Tirumantiram,* Vers 2769, vgl. Ausgabe von Varatarajan 1985.
105 *Tirumantiram,* Vers 2774, nach Varatarajan 1985, S. 532.
106 Handelman und Shulman 1997, S. 151, erwähnen, dass viele Sanskrit-Versionen von Shivas Glückseligkeitstanz damit enden, dass der Gott sein Linga selbst kastriert, sodass es als Zeichen für Shivas Anwesenheit am Ort dient.
107 Smith 1996, S. 180–185.
108 Die heilende Wirkung von *shringara rasa* wird in der Legende des Königs Simhavarma, der aus Gauda in Nordindien nach Chidambaram kam, beschrieben. Er litt unter schwerer Lepra, aber nach einem Bad im Shivaganga-Becken tauchte er mit einer «goldenen Haut» wieder auf und war von der Krankheit geheilt.
109 Gerow 1997, S. 319 ff.
110 *Tiruvacakam, Tirupporcunnam* 1.2.9; vgl. Ausgabe von Pope 1900, S. 128–138. Vgl. auch die deutsche Übersetzung von Frenz und Nagarajan 1977, S. 95–101.

Katalog

1 Shiva Nataraja, Shiva als König des Tanzes

Indien, Tamil Nadu, Chola-Periode,
12. Jahrhundert
Kupferlegierung, H. 82,4 cm
Museum Rietberg Zürich, RVI 501
Geschenk Eduard von der Heydt

Nach der Einschätzung des Sammlers Eduard von der Heydt gehört dieser Nataraja zu den schönsten Exemplaren, die man weltweit in den Museen bewundern kann. Wie die meisten seiner südindischen Kunstwerke erwarb er das Stück vermutlich Ende der Zwanzigerjahre bei C. T. Loo in Paris. Sicher wissen wir, dass die Statue ab 1933 im Zürcher Kunstgewerbemuseum ausgestellt war.

Laut Karteikarteneintrag war die Figur aber schon vorher in der Kunsthalle Düsseldorf zu sehen[1]. Erstmals publiziert wurde die Figur 1931 von L. Bachofer[2]. Schon damals galt dieser Nataraja als eines der schönsten Beispiele indischer Kunst: «Voilà eines der schönsten Stücke hinduistischer Kunst. [...] Bewundern Sie die Harmonie des Körpers, die breiten und kräftigen Schultern, die schmale, jugendliche Taille, [...] die feinen, doch robusten Arme, die aristokratischen Hände. Die Bewegungen sind gewandt, graziös, trotz der muskulösen Glieder, ohne jegliche Übertreibung.»[3]
An dieser Bewunderung für die Figur hat sich über die Jahre kaum etwas geändert. Aufgrund seiner Schönheit wurde er zu einem der Wahrzeichen des Museums Rietberg. JB

1 Siehe Originalkarteikarte, Archiv des Museums Rietberg. Im Stadtarchiv Zürich befindet sich eine Liste aller Leihgaben von der Heydts an das Zürcher Kunstgewerbemuseum, datiert auf den 9. November 1933. Dort figuriert der «Nataraya» auf Platz 3.
2 Bachofer 1931, S. 368 ff.
3 Cali 1937, S. 14.

2 Shiva Nataraja, Shiva als König des Tanzes

Indien, Tamil Nadu, Chola-Periode,
12. Jahrhundert
Kupferlegierung, H. 153 cm
Rijksmuseum, Amsterdam, AK-MAK-187
Dauerleihgabe der Gesellschaft der Freunde
asiatischer Kunst

Den tanzenden Shiva aus dem Rijksmuseum in Amsterdam und den Nataraja des Museums Rietberg verbindet eine gemeinsame Geschichte. In den Dreissigerjahren reiste Eduard Visser, einer der Gründer des Amsterdamer Museums für asiatische Kunst (und diplomierter Ingenieur der ETH Zürich), auf seiner Hochzeitsreise nach Paris. Der Kunsthändler C. T. Loo (siehe Abb. 25) hatte das frisch vermählte Paar als besonders gute Kunden zur Hochzeit beschenkt. Visser entschloss sich daraufhin zu einem Dankesbesuch, und so traf das Ehepaar C. T. Loo in seinem eindrucksvollen Haus in der Rue de Courcelles.

In der Galerie stand ein Nataraja, der gerade aus Indien geliefert worden war. Visser war beeindruckt von der Skulptur, telegrafierte nach Holland und konnte das Objekt einen Tag später reservieren. Am selben oder am nächsten Tag suchte Eduard von der Heydt C. T. Loo auf. Enttäuscht musste von der Heydt feststellen, dass der tanzende Shiva bereits reserviert war. C. T. Loo versprach zwar, ihm das Kunstwerk zu überlassen, falls Amsterdam nicht zahlen würde. Doch dies trat nicht ein.

Am 1. Juli 1935 schrieb von der Heydt in einem Brief an Visser: «Die indische Ausstellung bei Loo hat auf mich einen sehr grossen Eindruck gemacht, und ich kann Ihnen nur dringend raten, den tanzenden Shiva zu kaufen. Ich habe noch nie ein solches Stück gesehen und ich weiss, wie selten diese Stücke sind. Es ist in jeder Beziehung erstklassig und viel besser wie in der Fotografie. Ausserdem erscheint er mir sehr billig. Er ist, wie ich gesehen habe, mit FFRs 250 000.– ausgezeichnet; Sie würden ihn also zu einem unverhältnismässig billigen Preis bekommen und hätten dann ein Stück, das ganz einzigartig ist und wohl auch so nie wieder auf den Markt kommen wird. Diese südindischen Bronzen sind ja viel seltener wie die chinesischen Bronzen, und sie würden viel höhere Preise erzielen, wenn nicht das Interesse der Sammler für die indische Plastik noch nicht geweckt wäre.»[1] Einige Zeit später, nach dem erfolgten Ankauf des Nataraja, schrieb von der Heydt erneut an Visser: «Meinen herzlichsten Glückwunsch zum Erwerb des ‹tanzenden Shivas›. Sie haben damit ein Prachtstück, das sich würdig der grossen Glocke zur Seite setzen lässt. Dadurch wird das Museum noch berühmter. Es ist zweifellos der schönste tanzende Shiva in Europa und ich muss mit meinem, jetzt bescheidenen zurücktreten.»[2]

Der Amsterdamer Nataraja ist imposant aufgrund seiner Grösse, Anmut und Grazie. Bei einem Vergleich mit dem Zürcher Nataraja fallen einem eine Reihe von unterschiedlichen Details ins Auge: Der Amsterdamer Nataraja besitzt 47 anstelle von 23 Flammen im Flammenkranz. Seine fächerartig flatternden Haare wirken viel ornamentaler als bei dem Vergleichsstück. Auch ist das Gesicht weniger abgenutzt als bei der Zürcher Skulptur. JB

1 Korrespondenz zwischen von der Heydt und Visser vom 1. Juli 1935, Original im Archiv des Rijksmuseums Amsterdam, vgl. auch Scheurleer 1983, S. 215.

2 Korrespondenz zwischen von der Heydt und Visser vom 26. Juli 1935, Original im Archiv des Rijksmuseums Amsterdam, vgl. auch Scheurleer 1983, S. 216.

5 Shiva Nataraja, Shiva als König des Tanzes

Indien, Tamil Nadu, Chola-Periode, um 970
Kupferlegierung, H. 67,9 cm
Asia Society, New York, 1979.020
Mr. and Mrs. John D. Rockefeller 3rd Collection

Diese Prozessionsskulptur zeigt Shiva als Herr des Tanzes. Zusammengekauert wie eine Kröte, sitzt der Dämon Apasmara unter seinem rechten Fuss. Kunstvollen Armbändern gleich winden sich Schlangen um Arme und Schultern. Das Fell eines einst Furcht erregenden Tigers ist um seine Hüfte geschlungen. In seiner oberen linken Hand hält Shiva Feuerflammen, während sich in der oberen rechten Hand die Trommel befindet, mit der er den Rhythmus seines Tanzes schlägt. Ein ovaler Flammenkranz umrahmt den Gott. Eine dicke Strähne der üppig wallenden Haarpracht direkt über der Trommel enthält ein kleines Bild der Göttin Ganga, die ihre Hände gefaltet hat. Ein glückseliges Lächeln umspielt Shivas Lippen.[1] AP

1 Koller 1985, S. 113, Leidy 1994, S. 47 ff., Tarapor 1983, Abb. 16–17, Balasubrahmanyam 1966, S. 157, Abb. 81b und Dehejia 2002, S. 91 ff., Abb. 2.

4 Shiva Nataraja, Shiva als König des Tanzes

Indien, Tamil Nadu, Tanjavur, Chola-Periode,
9. Jahrhundert
Kupferlegierung, H. 67,8 cm
Victoria and Albert Museum, London, IM.2-1934
Legat L. S. Bradley

Shiva tanzt hier den Tanz der Glückseligkeit, durch den die elementaren Kräfte des Universums geschaffen, erhalten und in zyklischer Wiederkehr wiederum zerstört werden. Umgeben von einem Flammenkranz, tanzt er auf dem zu Boden gestreckten Dämonenzwerg Apasmara. Die vier Arme des tanzenden Shiva zeigen sich in dynamischer Bewegung, seine Beine, beide gebeugt und eines erhoben, verharren in einer kraftvollen Tanzstellung. In seinen oberen Händen hält Shiva die doppelseitige Trommel, das Sinnbild der vergehenden Zeit, und die Flamme, das Symbol der Zerstörung. Die Gesten seiner unteren Hände drücken Beruhigung und Schutz aus, ebenso wie sein angehobenes Bein, das den frommen Anhängern Zuflucht bietet. Shivas Haarkrone beherbergt eine Kobra, eine Stechapfelblüte und die Mondsichel, die sich vor dem fächerförmigen Haarschmuck aus Kassienblättern abheben – die Kassie (Indischer Goldregen) ist Shiva heilig. Der Gott trägt ein kurzes Hüfttuch mit Streifenmuster, eine Halskette und in einem Ohr einen schlichten Ring, der auf den weiblichen Aspekt seines göttlichen Wesens anspielt. In den wehenden, mit Blumen durchflochtenen Haarsträhnen kommt die Energie von Shivas Tanz zum Ausdruck. Sie sind separat gegossen und mit Nieten an der Rückseite des Kopfes befestigt. Auf dem Flammenkranz erkennt man die winzige Figur der Flussgöttin Ganga, die Shiva huldigt. In dieser komplexen metaphysischen Konzeption der Shiva-Figur verschmelzen zahlreiche Mythen und literarische wie künstlerische Traditionen.

Die Figur steht auf einem angedeuteten, zweiblättrigen Lotossockel mit rechteckiger Basis aus einem Guss. Am Fuss der Statue sind Ringe angebracht, mit deren Hilfe die Figur bei Prozessionen befestigt werden konnte. Vor einem Umzug wurde das Kultbild rituell gebadet, in feine Seidenstoffe gekleidet und mit frischen Blumengirlanden geschmückt.

Diese bemerkenswerte Skulptur ist ein Geschenk der Witwe von Herbert Bradley, der von 1878 bis 1909 beim Madras Civil Service diente. JG

Wenn unser Herr,
der Anfang und Ende zugleich ist,
zum tieftönenden Klang
der Mulavam-Trommel tanzt,
loderndes Feuer in seiner hohlen Hand,
und die Tochter des Berges ihm zusieht,
dann fliesst der rauschende Fluss
der Ganga mit schäumenden Wellen
über die kühle Mondsichel.[1]

1 *Tevaram,* Sambandar, I.39.1, zitiert und übersetzt nach Vishwanathan Peterson 1989, S. 118.

5 Unvollendeter Guss eines Shiva Nataraja

Indien, Tamil Nadu, Chola-Periode,
11. Jahrhundert
Kupferlegierung, H. 53 cm
National Museum, New Delhi, 60.1062

Bildnisse des Nataraja gehören zu den schönsten Werken der Bronzegiesserei aus der Chola-Periode. Während alle anderen Skulpturen in dieser Ausstellung das traditionell übermittelte Können der Künstler zeigen, illustriert dieses unvollständige und unfertige Werk das Stadium, in dem es aus der gebrannten Tonform herausgenommen wurde. Obwohl die Kunst der Bronzegiesserei ihren Höhepunkt und stärksten Ausdruck in der Chola-Periode fand, sieht man nur selten unfertige Arbeiten. Ein Grund dafür, dass dieses Bildnis nicht fertiggestellt wurde, liegt offenbar darin, dass das rechte Bein unterhalb des Schenkels abgebrochen und verloren gegangen ist. Solche unfertigen Figuren überleben nur selten; traditionsgemäss werden sie wieder eingeschmolzen, denn eine fehlerhafte Skulptur kann nicht aufgestellt und rituell zum Leben erweckt werden. JED

6 Shiva Nataraja, Shiva als König des Tanzes

Indien, Tamil Nadu, Chola-Periode,
11. Jahrhundert
Kupferlegierung, H. 85 cm
National Museum, New Delhi, 57.16/1

Die Figur weist auf die fünf zentralen Taten des grossen Tänzers hin: Shiva ist Schöpfer, Erhalter und Zerstörer des Universums, Beseitiger der Unwissenheit und Befreier. Die philosophische Grundlage dieser Gestalt wird in dem tamilischen Werk *Chidambara Mummani Kovai* erklärt: «O Herr! Deine Hand, die die heilige Trommel hält, hat die Himmel und die Erde und andere Welten und unzählige Seelen geschaffen und geordnet. Deine gehobene Hand schützt die Vielfalt des belebten und unbelebten weiten Universums. Dein heiliger Fuss, fest im Boden verankert, gibt der müden Seele, die sich in den Mühen des *karma* abplagt, Zuflucht. Es ist dein gehobener Fuss, der denen, die sich an dich wenden, ewige Glückseligkeit verheisst. Diese fünf Handlungen sind wahrlich deine Arbeit.»[1]

Diese Skulptur aus dem 12. Jahrhundert besteht aus drei einzeln gegossenen Teilen: Strahlenkranz, Figur und Sockel; ihre beispielhafte Ausführung ist einfach und doch wirkungsvoll. Der Sockel ist mit zwei Ringen auf jeder Seite versehen, um das Bildnis an Prozessionen auf einer Trage zu befestigen.

Jedes Detail dieser Figur ist mit grosser Aufmerksamkeit und Genauigkeit ausgearbeitet. Shiva lächelt einnehmend, man spürt den Rhythmus in der Bewegung seiner Beine, und seine Haarsträhnen fliegen infolge der Tanzbewegung zu beiden Seiten. Der heilige Fluss Ganges sitzt in seinem Haar, dargestellt als schöne Göttin Ganga. Die Schlange windet sich um Shivas unteren rechten Arm. Der Strahlenkranz, mit fünffachen Flammen umrandet, repräsentiert den Kosmos, der durch Feuer zerstört werden wird. Shiva stampft mit dem rechten Fuss den Dämon Apasmara nieder, der hämisch zu ihm emporblickt. JED

1 Coomaraswamy 1923, S. 90.

7 Shiva Nataraja, Shiva als König des Tanzes

Indien, mittleres Tamil Nadu, vielleicht Pallava-Periode, 9. Jahrhundert
Kupferlegierung, H. 28 cm
The British Museum, London, 1969.12-16.1
Brooke-Sewell-Stiftung

Der Gott ist vierarmig dargestellt, in einem nahezu ovalen Flammenkranz – dieser unterscheidet sich deutlich von den drei- oder fünfzackigen runden Flammenkränzen, wie sie bei vergleichbaren Stücken in der Ausstellung zu erkennen sind (vgl. Kat. 1–4). Shivas Haarschmuck ist klein: Es gibt weder Haarsträhnen, die sein Haupt umspielen, noch ist ein Bildnis der Göttin Ganga darin untergebracht. In seinem Haar deutlich erkennbar sind der zunehmende Mond (auf Shivas rechter Seite) und eine Stechapfelblüte (links), dazwischen ein Schädel. Shiva drückt mit dem rechten Fuss den Dämon Apasmara zu Boden. Letzterer blickt den Betrachter direkt an im Gegensatz zu einigen späteren Darstellungen, wo er stattdessen zu Shiva hinaufblickt. Auch Schulter- und Hüfttuch wirken ungewöhnlich: Anstelle den Schwung der Figur aufzunehmen, hängen sie schlaff herab. Auch sind sie hier nicht mit dem Flammenkranz verbunden.

Im Zweiten Weltkrieg erwarb ein Privatmann die Skulptur in einem Geschäft im englischen Chester. Da die Familie des Käufers seit einigen Generationen in Indien ansässig war, erkannte dieser den Wert der Figur. Bevor er sie seinerseits weiterverkaufte, betrachtete sie seine Familie während rund zwanzig Jahren als Talisman und Familien-Kultbild. Douglas Barrett, der das Bildnis im Jahre 1969 für das British Museum erwarb, glaubte, es stehe ganz am Anfang der bekannten Reihe von Plastiken des tanzenden Shiva in der Anandatandava-Pose.[1] Neuere archäometallurgische Untersuchungen haben ein noch früheres Entstehungsdatum ergeben, als Barrett angenommen hatte.[2] TRB

1 Barrett 1981, S. 17 ff.
2 Srinivasan 2006, S. 443.

8 Dvarapala, Torhüter

Indien, Tamil Nadu, Chola-Periode,
9./10. Jahrhundert
Granit, H. 125 cm
Museum Rietberg Zürich, RVI 107
Geschenk Eduard von der Heydt

Hinduistische Tempel, Schreine oder heilige Orte werden von Torhütern, Angst einflössenden Wächterfiguren, bewacht[1]. Der hier abgebildete Torwächter mit heraustretenden Augen und Reisszähnen stand einmal rechts von einem Tempeleingang und bewachte die Gottheit. Über die Sammlung von Jouveau Dubreuil gelangte die Figur in den Zwanzigerjahren zu C. T. Loo nach Paris. Dort erwarb sie Eduard von der Heydt, der den Wächter schliesslich im Eingangsbereich seines Hotels auf dem Monte Verità in Ascona aufstellen liess. JB

1 Vgl. Kat. 53, 74, 75.

9 SHIVAS REITTIER NANDI

Indien, Tamil Nadu, Chola-Periode, 11. Jahrhundert
Stein, H. 103 cm
Privatsammlung, Schweiz

10 Shivas Reittier Nandi

Südindien, 15. Jahrhundert
Grauer Granit, H. 26 cm
Museum Rietberg Zürich, RVI 297
Geschenk McKinsey & Co. Zürich

Shivas Reittier (Skr. *vahana*) ist der weisse Stier Nandi, was übersetzt «der Glückliche» bedeutet. Er gilt als stark und erschreckt mit seinem Brüllen Shivas Feinde.[1] In südindischen Tempeln befindet sich sein Bildnis üblicherweise einem Shiva-Schrein gegenüber. Oft schmücken ganze Reihen von Nandis die Umgebungsmauern der Tempelanlage.

Deutlich erkennbar ist der Buckel auf dem Rücken des Stiers.[2] Die Hörner sind gestutzt. Nandi trägt zahlreiche Girlanden und Glöckchen. Oft sind seine Hoden prominent sichtbar – sie stehen für Potenz und Fruchtbarkeit. JB

1 So sagt der heilige Manikkavacakar, siehe *Tiruvacagam* 6, 9, zitiert nach der deutschen Übersetzung von Frenz und Nagarajan 1977, S. 66.
2 Vgl. Kat. 9, 21, 67.

11 Lingodbhavamurti, Shiva tritt aus dem Linga hervor

Indien, Tamil Nadu, Mudiyanur,
Chola-Periode, 12. Jahrhundert
Stein, H. 120 cm
Government Museum, Chennai, 90-8/38

Shiva ist hier gleich zweifach dargestellt: Zum einen tritt er aus dem Linga hervor, das heisst, er ist als Gott auf dem Linga abgebildet, zum anderen ist er das kosmische Linga selbst. In den Tempeln der Chola-Periode befinden sich Lingas dieser Art oft in einer Nische an der westlichen Tempelaussenwand. Shiva besitzt hier vier Arme; in den beiden oberen Händen hält er die üblichen Attribute Axt und Antilope, während die untere rechte Hand Freiheit von Furcht (Skr. *abhaya mudra*) gewährt und die untere linke auf dem Schenkel ruht. Seine langen Haare sind kunstvoll zu einer Krone hochgebunden. Während rechts oben eine Vogelgestalt[1] zu sehen ist, zeigt sich links unten ein Wildschwein – die Tiere stellen die Götter Brahma und Vishnu bei ihrer Suche nach dem Kopf und den Füssen des Lingas dar.

Zahlreiche Mythen erzählen vom Ursprung des Lingas, von denen die berühmteste hier kurz nacherzählt werden soll. Es heisst, dass am Anfang der Schöpfung Vishnu in seiner menschengestaltigen Verkörperung des Lebensfluidums in und auf der Substanz seines eigenen Seins schwamm. Wie ein leuchtender Riese strahlte er in der stetigen Glut seiner heiligen Kraft. Plötzlich entdeckte er eine andere leuchtende Erscheinung, die schnell wie das Licht auf ihn zuflog. Es war der vierköpfige Brahma, der Gestalter des Alls, der den ruhenden Riesen fragte: «Wer bist du? Wie bist du entstanden? Was tust du hier? Ich bin der Erschaffer aller Wesen. Ich bin der, der aus sich selbst entstand.» Vishnu zweifelte Brahmas Aussage an und entgegnete Brahma, er, Vishnu selbst, habe das All immer wieder erschaffen und zerstört. Während sie sich stritten, tauchte aus dem Ozean ein gewaltiges, von einer Flamme gekröntes Linga auf. Rasch wuchs es in den unendlichen Raum. Erschrocken und erstaunt beschlossen beide, nach oben und nach unten zu tauchen, um den Anfang und das Ende dieser Gestalt zu erkunden. Brahma wurde zum Ganter und schwang sich in die Höhe, Vishnu wurde zum Eber und tauchte in die Tiefe. Doch ihre Suche war erfolglos. Sie konnten weder Anfang noch Ende finden. Und immer noch wuchs das Linga. Da brach es plötzlich auf, und Shiva offenbarte sich. Er erklärte Vishnu und Brahma, dass er der Ursprung allen Seins – und somit auch von ihnen beiden – sei. Wie alles seien auch sie aus dem Linga hervorgegangen und wohnten in ihm.[2] RB

1 Der Sanskrit-Begriff *hamsa* wird gerne mit «Schwan» übersetzt, bedeutet aber eigentlich «Gans».

2 Vgl. Zimmer 1984, S. 143 f.

12 Dakshinamurti, Shiva als Lehrer

Indien, mittleres Tamil Nadu,
Chola-Periode, um 960
Granit, H. 109,2 cm
The British Museum, London, 1961.4-10.1
Brooke-Sewell-Stiftung

Wird Shiva als Lehrmeister dargestellt, erscheint er stets als ein berückend schöner junger Mann mit langem Haar, hier in der Mitte des Kopfschmucks hoch aufgetürmt, und mit einem Totenkopf; einem typischen, aber ambivalenten Attribut, das man bei Shiva-Bildnissen häufig vorfindet. Der zunehmende Mond, der Mond am Anfang seines Zyklus – Shiva ist vor allem der Gott der Extreme –, schmückt seine Haare auf der linken Seite. Er hat das linke Bein über das rechte geschlagen. Sein Blick ist auf seine Anhänger gerichtet, denen er Wissen vermittelt (dies käme hier deutlicher zum Ausdruck, wenn die spezifische Handgeste noch zu sehen wäre). Die Figur des zwergenhaften Dämons Apasmara, der unter anderem als Verkörperung der Unwissenheit verstanden werden kann, unterstreicht seinen Auftritt als Lehrer. Sowohl bei Shiva als Nataraja als auch in seiner Form als Dakshinamurti findet man dieses ikonografische Element.

Der lehrende Shiva wird häufig unter einem Baum sitzend dargestellt, was hier allerdings nicht zu erkennen ist. Dies geht auf frühe indische Konventionen zurück. So befindet sich Buddha, als er zum ersten Mal als Lehrmeister auftritt, unter einer Pappelfeige.

Steinskulpturen dieser Grösse und Qualität erfüllen eine architektonische Funktion. Diese bemerkenswerte, geradezu sinnliche Figur aus der Chola-Periode hat wahrscheinlich einmal die Aussenwand eines Shiva-Tempels geschmückt. Eine Shiva-Skulptur dieser Beschaffenheit befand sich für gewöhnlich an der Südwand des zentralen Heiligtums; die Anhänger gingen während ihrer nach rechts führenden, also dem Verlauf der Sonne folgenden Umwandlung des Tempels (Skr. *pradakshina*) an ihm vorbei. Die Bedeutung des Wortes *dakshinamurti* selbst verweist auf diesen Standort: Der Name kann als «nach Süden gerichtetes Bildnis» übersetzt werden. Der Hinweis auf die Himmelsrichtung deutet allerdings nicht nur auf Shivas Position innerhalb des Tempels hin, sondern auch auf den Ort, an dem Shiva zu Hause ist – auf den Berg Kailasa im hohen Norden des Himalaya. Wenn er mit seinen Anhängern in Kontakt tritt, blickt der Gott nach Süden; er ist «der nach Süden schauende Gott». TRB

25 Sukhasanamurti, Shiva in komfortabler Sitzhaltung

Indien, Tamil Nadu, Chola-Periode,
12. Jahrhundert
Kupferlegierung, H. 62,2 cm
The Nelson-Atkins Museum of Art, Kansas City, Missouri (Ankauf durch den Nelson Trust), 61-7

Shiva sitzt auf einem Lotosthron; das rechte Bein lässt er herabhängen, das linke ruht abgewinkelt vor seinem Rumpf. Diese Sitzhaltung ist entspannt und wird deshalb auch «komfortable Art des Sitzens» (Skr. *sukhasana*) genannt.[1] Die Attribute wie Axt und Antilope fehlen aufgrund von Beschädigung. Welchen Mythos diese Figur verkörpert, lässt sich nicht genau sagen. Oft bringt man diesen Shiva mit dem Quirlen des Milchozeans in Verbindung. Dort schluckte Shiva Gift, das bei der Herstellung des Unsterblichkeitstrankes entstanden war, und rettete damit die Welt vor dem Verderben.[2] Auch dieses Stück wurde 1935 über C. T. Loo in Paris verkauft. JB

1 Vgl. Kat. 26, 34 und 35.
2 Vgl. Aufsatz Kersenboom, Anmerkung 7, S. 76 und Kat. 32.

26 Göttin Kali

Indien, Tamil Nadu, Chola-Periode, um 940
Kupferlegierung, H. 40,4 cm
Museum Rietberg Zürich, RVI 505
Geschenk Eduard von der Heydt

Die schreckliche Göttin Kali sitzt in königlicher Würde auf einem Thron. Fast wirkt ihr Oberkörper unproportional in die Länge gezogen, so schlank ist sie. Ihr geflochtenes Haar ist eindrücklich zu einem Nimbus zusammengebunden. Um den Hals trägt die Göttin eine Girlande aus Totenköpfen. Weitere Attribute wie die Schlinge, die Glocke und die Schädelschale hält sie in Händen, während die Schlange auf ihrem Busen ruht. Ihre untere rechte Hand bietet Schutz.

Das Gesicht zeigt Abnutzungsspuren vom intensiven Tempelritual, wohl über Jahrhunderte hinweg wurde die Figur verehrt, gewaschen und poliert. Von der Patina her liesse sich schliessen, dass die Skulptur einst zusammen mit einem Tempelschatz vergraben beziehungsweise versteckt wurde[1]. Auch dieses Kunstwerk befand sich zunächst in der Sammlung von G. Jouveau Dubreuil in Pondichéry bevor sie Eduard von der Heydt bei C. T. Loo in Paris erwarb. JB

1 Dehejia 2002, S. 138.

27 Kalyanasundaramurti, Shivas Hochzeit

Indien, Tamil Nadu, Madurai,
spätes 19. Jahrhundert
Kupferlegierung, H. 56 cm
Museum für Asiatische Kunst, Kunstsammlung
Süd-, Südost- und Zentralasien,
Staatliche Museen zu Berlin, MIK I 315

Die Hochzeit von Shiva und Parvati ist ein beliebtes Thema der südindischen Bronzekunst. Noch heute findet in der heiligen Stadt Madurai das alljährliche Hochzeitsfestival zu Ehren der Schutzgöttin Minakshi, einer Inkarnation Parvatis, statt. Sie hatte als gerechte Königin über die Stadt geherrscht, bis sie sich auf einem ihrer Eroberungszüge unsterblich in Shiva verliebte und mit ihm die Ehe einging (siehe Aufsatz Kersenboom, S. 50).

Rechts aussen steht der vierarmige Shiva den beiden anderen Gottheiten gleich auf einem Lotossockel und reicht seiner Zukünftigen die Hand. Vishnu scheint die Braut zu übergeben. Als Abbild der perfekten Braut ist Parvati nicht nur bedeutend kleiner als die beiden Götter dargestellt und blickt zurückhaltend nach unten, sie verfügt auch nur über zwei Arme. Ein schwerer geflochtener Zopf, mit einer grossen Blüte und Troddeln versehen, fällt auf ihren Rücken, ein Medaillon aus Sonne und Halbmond und eine Blume schmücken ihr Haupt. Ihre Position zur Rechten Shivas kennzeichnet sie als Braut, stünde sie links von Shiva, wäre sie bereits seine Gattin.

Shiva trägt seine gängigen südindischen Attribute Axt und die sich aufbäumende Antilope (Skr. *mriga*), die ihn als Herrscher über die Natur auszeichnet. In der vorderen linken Hand, die elegant auf seinem Schenkel ruht, hält er ganz ähnlich wie seine Braut eine Blume oder Frucht. Der reich geschmückte Vishnu ist ebenfalls in typischer Manier bekrönt und mit beflammtem Rad und ebensolcher Schneckenmuschel ausgestattet.

Alle Gottheiten weisen eingravierte Lotosblüten auf den Handflächen auf sowie die Brahmanenschnur. Aus dem Maul einer löwenähnlichen Fantasiegestalt (Skr. *kirtimukha*) entspringt der separate, schön geschwungene und beflammte Schmuckbogen, der unten von zwei mythischen Fabeltieren und krokodilartigen Wesen gestützt wird. RH

28 Alinganacandrashekharmurti, Shiva mit dem Mond als Diadem in Umarmung

Indien, Tamil Nadu, Chola-Periode,
11./12. Jahrhundert
Kupferlegierung, H. 42 cm
National Museum, New Delhi, 90.80

Shiva steht gemeinsam mit seiner Frau Uma auf einem elliptischen Lotossockel, der auf eine rechteckige Basis aufgesetzt ist. Sie stehen in der dreifach gebeugten Pose (Skr. *tribhanga*). Beide tragen Schmuck und Haarkrone. Mit seiner oberen linken Hand hält der Gott eine Antilope, den unteren linken Arm legt er sanft um Umas Schultern. Wie auch in den meisten späteren Bildnissen aus der Chola-Periode teilen sich die Arme des Gottes erst am Ellbogen. Uma scheint eine Lotosblüte in der rechten Hand zu halten. Ihr linker Arm hängt herab. Bei vergleichbaren Skulpturen erwidert die Göttin Shivas Umarmung.

Obgleich es sich um ein standardisiertes Motiv handelt, ist es dem Künstler gelungen, die starke Verbindung des göttlichen Paares auf besonders zartfühlende Weise darzustellen. Das am Sockel mit Ringen versehene Prozessionsbildnis weist zu beiden Seiten vertikal hervorstehende Stangen auf. Vermutlich besass die Figur einmal einen Strahlenkranz. JED

29 Umashahitamurti,
Shiva zusammen mit Uma

Indien, Tamil Nadu, Chola-Periode,
11. Jahrhundert
Kupferlegierung, H. 60 cm
Privatsammlung, USA

Shiva ist majestätisch und würdevoll dargestellt, die entspannt wirkende Uma steht ein Stück entfernt von ihm auf einem eigenen Lotosblatt. Der Gott trägt die Axt in seiner oberen rechten Hand und eine Antilope in seiner oberen linken Hand. Seine rechte untere Hand ist zur Geste der Befreiung von Furcht ausgebreitet, seine linke gewährt Gunst. Die schöne Figur der Uma bietet einen angenehmen Kontrast zu Shivas statischer Haltung. JTH

30 Shivas Gattin Parvati

Indien, Tamil Nadu, Chola-Periode,
spätes 12. Jahrhundert
Kupferlegierung, H. 67 cm
The Royal Collection of
Her Majesty Queen Elizabeth II
Leihgabe an das Victoria and Albert Museum,
London, RL 973

«[Shiva] tanzt mit der Göttin, deren Worte so süss sind wie Zuckerrohr und deren Brüste so zart sind wie Kokosnüsse oder Lotosblüten [...]»[1] Die Göttin Parvati, deren volkstümlicher Name in Südindien Uma ist – ein Name, dessen Ursprung unklar ist, der aber wahrscheinlich auf ihren Mutteraspekt («ma») verweist – gilt in der indischen sakralen Kunst als die Verkörperung weiblicher Schönheit schlechthin. Sie ist Shivas liebende Gattin, wird jedoch als eigenständige Gottheit verehrt. Sie wird gefeiert als die anmutige Schönheit, die Shivas Wildheit zähmte. Gleichzeitig ist sie die Asketin, die Shiva überredete, seine strikte Askese aufzugeben. Beide Aspekte werden in den Darstellungen Shivas als gütiger «Familienvater» gefeiert, in denen er mit Parvati und ein oder zwei Kindern – Ganesha und Murukan – zu sehen ist und gewöhnlich von Nandi begleitet wird.

Diese meisterhafte Statue der Göttin wurde als Gegenstück eines Shiva-Bildnisses geschaffen; beide gehörten zu einer Gruppe von Kultbildern, einer typischen Tempelausstattung für Feste.

Ohne Zweifel erreichten die Bronzegiesser der Chola-Periode mit dieser Darstellung der liebenden Göttin den Höhepunkt der Sinnlichkeit. Sie verkörpert die Ideale von Körperproportion und Form, wie sie in den Handbüchern zur Architektur und Bildhauerei, den *Shilpashastras,* überliefert sind.

Die Zartheit in Ausdruck und Geste spiegelt die Ruhe und das gütige Wesen der Göttin wider. Ihre üppigen, runden Brüste und die schlanke Taille, die in breite Hüften und kräftige Oberschenkel übergeht, sind sorgfältig und fein modelliert, die Übergänge mit einer Kunstfertigkeit gearbeitet, die man ausserhalb dieser Periode nur selten sieht. Unterstrichen und dem indischen ästhetischen Empfinden zufolge vervollständigt wird ihre Schönheit durch die entsprechenden Schmuckmittel: Juwelen, Girlanden und Perlenschnüre.

Die körperliche Perfektion Umas erregte immer wieder das Interesse der Nayanars, die sie in Hymnen und Preisgedichten feierten. Viele der shivaitischen Lobgesänge verehren Uma als in Shiva verkörpert: «Mit Uma als sein halbes Wesen» – eine Anspielung auf die Darstellung Shivas und seiner Gattin in einem Körper als Ardhanarishvara, als «der, der halb Frau ist». Diese Verschmelzung von männlichen und weiblichen Merkmalen findet man schon in den ersten Jahrhunderten n. Chr. in der Plastik von Mathura.

Diese Skulptur, die zufällig in einem verlassenen Tempel in Sendagudi im Distrikt Tanjavur entdeckt wurde, war ein Geschenk der indischen Regierung an die englische Königin Elisabeth II. anlässlich ihres Staatsbesuches im Jahre 1960. JG

1 *Tevaram,* Sambandar, I.46.21, zitiert und übersetzt nach Vishwanathan Peterson 1989, S. 121.

31 Shivas Gattin Parvati

Indien, Tamil Nadu, Chola-Periode,
10. Jahrhundert
Kupferlegierung, H. 52 cm
The Nelson-Atkins Museum of Art,
Kansas City, Missouri
(Ankauf durch den Nelson Trust), 50-18

Shivas Gattin ist anmutig. Wenn sie ihrem tanzenden Gatten an die Seite gestellt wird, trägt sie einen besonderen Namen. Sie heisst dann Shivakamundari, die «Schöne, auf die sich Shivas Wollust richtet». JB

32 Candrashekharamurti, Shiva mit dem Mond als Diadem

Indien, Tamil Nadu, 13./14. Jahrhundert
Kupferlegierung, H. 76 cm
Museum Rietberg Zürich, RVI 506
Geschenk Eduard von der Heydt

Als Vishnu den Ur-Ozean quirlte und Land von Wasser trennte, trat ein tödliches Gift an die Oberfläche, das Shiva schluckte. Als Belohnung bat er um den Mond. *Candrashekhara* bedeutet «Der Herr, der den Mond in seinem Haar trägt» (vgl. Kat. 25).

Shiva trägt das Haar kunstvoll hochgebunden, einer Blume gleich, und hält Axt und Antilope in Händen. Die unteren Hände geben Furchtlosigkeit und Gnade. Shiva zeigt sich von seiner angenehmen Seite. Auf den ersten Blick erinnert nichts an seine Schrecken erregenden Eigenschaften. JB

33 Shivas Gattin Parvati

Indien, Tamil Nadu, 14. Jahrhundert
Kupferlegierung, H. 73 cm
Museum Rietberg Zürich, RVI 507
Geschenk Eduard von der Heydt

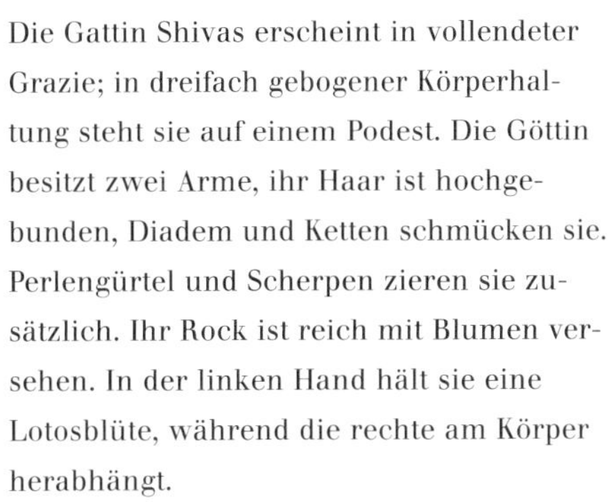

Die Gattin Shivas erscheint in vollendeter Grazie; in dreifach gebogener Körperhaltung steht sie auf einem Podest. Die Göttin besitzt zwei Arme, ihr Haar ist hochgebunden, Diadem und Ketten schmücken sie. Perlengürtel und Scherpen zieren sie zusätzlich. Ihr Rock ist reich mit Blumen versehen. In der linken Hand hält sie eine Lotosblüte, während die rechte am Körper herabhängt.

Parvati ist die liebevolle Göttin, als Tochter des Himalaya eine anmutige Schönheit. Auf Prozessionen wird ihr Bild zusammen mit jenem des tanzenden Shiva mitgeführt; dann ist sie Shivakami, «diejenige, auf die Shivas Wollust gerichtet ist». Befand sich das Kunstwerk zunächst in der Sammlung von G. Jouveau Dubreuil in Pondichéry, gelangte es später zu C. T. Loo nach Paris, wo es Eduard von der Heydt erwarb. JB

34 Somaskandamurti,
Shiva mit Uma und Skanda

Indien, Tamil Nadu, Chola-Periode, 12. Jahrhundert
Kupferlegierung, H. 35 cm
Museum Rietberg Zürich, RVI 504
Geschenk Eduard von der Heydt

Shiva sitzt entspannt mit seiner Gattin auf einem Podest, in ihrer Mitte befindet sich ihr Sohn Skanda. Diese Darstellung der göttlichen Familie, die in Indien Somaskanda genannt wird (eine Zusammensetzung aus dem Buchstaben «Sa» für Shiva und den Namen Uma und Skanda), war in Südindien schon im 6. Jahrhundert sehr verbreitet, also während der Zeit der Pallava-Fürsten, denn man findet sie im Allerheiligsten vieler Tempel als prominentes Wandrelief. Ihre grosse Beliebtheit setzt sich in den späteren Jahrhunderten fort, was eine Vielzahl erhaltener Prozessionsbronzen belegt.[1]

Die ikonografischen Details entsprechen den bekannten Standards.[2] Bemerkenswert ist, dass auch dieses Kunstwerk ursprünglich zu der Sammlung von Jouveau Dubreuil in Pondichéry gezählt hatte, bevor diese über C. T. Loo in Paris und Edgar Gutman in Berlin in den Besitz von Eduard von der Heydt überging.[3] JB

1 Siehe dazu Parlier-Renault 2006 und Lefèvre 2006.
2 Vgl. Kat. 25, 35 a und b sowie 36.
3 Siehe die ausführliche Beschreibung von Lohuizen-de Leeuw 1994, S. 192 ff.

35 **a und b Umasahitamurti, Shiva zusammen mit Uma**

Indien, Tamil Nadu, Chola-Periode,
9./10. Jahrhundert
Kupferlegierung, H. 43 cm
Museum Rietberg Zürich, RVI 502 und 503
Geschenk Eduard von der Heydt

In dieser Kombination wird Shiva Umasahitamurti, «derjenige, der zusammen mit Uma ist», genannt. Aufgrund des Stils und des ähnlichen Erhaltungszustandes der Skulpturen ist darauf zu schliessen, dass die beiden Figuren ursprünglich zusammengehörten. Eduard von der Heydt erwarb das Paar bei C. T. Loo in Paris. JB

36 **Shivas Gattin Parvati**

Indien, Tamil Nadu, Chola-Periode, 13. Jahrhundert
Kupferlegierung, H. 11 cm
Museum Rietberg Zürich, RVI 514
Geschenk Richard-Wagner-Filmgesellschaft

37 Shivas Sohn Ganesha

Indien, Tamil Nadu, Chola-Periode, 11. Jahrhundert
Kupferlegierung, H. 54 cm
Asia Society, New York, 1979.026
Mr. and Mrs. John D. Rockefeller 3rd Collection

Der elefantenköpfige Ganesha, Sohn von Shiva und Parvati, ist einer der beliebtesten Götter des hinduistischen Pantheons. Er wird als Gott des Glücks und der Neuanfänge sowie als Beseitiger von Hindernissen verehrt. Seinen Kopf erhielt Ganesha von Shiva: Er hatte diesem den Zutritt zur Badestelle Parvatis verweigert, woraufhin Shiva zornentbrannt Ganesha den Kopf abschlug. Um die untröstliche Parvati zu besänftigen, erklärte Shiva sich bereit, Ganeshas Kopf mit dem des ersten Wesens zu ersetzen, welches ihm begegnete – und dies war ein Elefant.[1]

Ganesha-Figuren wurden wohl schon in der Chola-Periode an der Spitze der Prozessionen getragen. Diese Prozessionsskulptur ist mitsamt ihrem Sockel in einem Stück gefertigt worden. Ganeshas Rüssel ist auf einen Reiskuchen gerichtet, eine Süssigkeit, die er besonders gern isst. In seiner anderen linken Hand hält er eine Schlinge, ein Symbol für seine Fähigkeit, einen Gläubigen auf geschickte Weise einzufangen. Er hält seinen abgebrochenen Stosszahn, den er im Kampf mit einem Dämon verloren hat, in einer seiner rechten Hände, und eine Keule, die auf seine Rolle als Kriegsgott verweist, in seiner zweiten rechten Hand. Auf dem Kopf trägt Ganesha eine schlicht geschmückte, elegante Krone mit schön gearbeiteten Girlanden auf beiden Seiten, die seine Ohren umrahmen.[2] AP

1 Zu Mythen und Bedeutung siehe Beltz 2003.
2 Siehe Dehejia 2002, S. 140, Leidy 1994, S. 54 und Tarapor 1983, Abb. 11–12.

38 Shivas Sohn Murukan

Indien, vermutlich Tamil Nadu,
Chola-Periode, 10. Jahrhundert
Kupferlegierung, H. 48 cm
Museum für Asiatische Kunst,
Kunstsammlung Süd-, Südost- und Zentralasien,
Staatliche Museen zu Berlin, MIK I 322

Murukan ist Shivas zweiter Sohn. Er wurde auf den verzweifelten Wunsch der Götter hin erschaffen, um den Dämon Taraka zu besiegen. Seine Verehrung ist vor allem in Südindien sehr verbreitet, in Tamil Nadu stieg er im Laufe der letzten Jahrhunderte zu einer Hauptgottheit auf.

Murukan steht als junger Gott in aufrechter Haltung mit annähernd symmetrischer Silhouette auf einem Lotossockel, der mit dem Podest in einem Guss verbunden ist. Zwei sich aufbäumende Löwen flankieren das Podest. An den beiden seitlichen Stiften war ursprünglich der Flammenkranz befestigt. Die in einem Stück gearbeitete vierarmige Figur hält als Verweis auf Murukans Funktion als Kriegsgott den Donnerkeil und eine Glocke elegant in den hinteren Händen. Die Glocke ist mit ihrem Griff aus einem halben Donnerkeil und dem gut sichtbaren Klöppel äusserst realistisch gearbeitet und vor allem bei mehrarmigen Darstellungen präsent. Während die vordere Rechte die Geste der Wunschgewährung zeigt, verheisst die Linke Schutz. Die spitz zulaufende, vierteilige Krone ist an der Vorderseite sowie an weiteren Stellen stark abgerieben; ein Hinweis auf die kultische Funktion der Statuette und ihre unzähligen rituellen Waschungen. Einzelne Locken fallen auf den Rücken der Gottheit herab. Am Hinterkopf ist separat ein Rad befestigt, und die ursprüngliche Dekoration der Krone ist besser sichtbar. Diese entspricht dem Oberarmschmuck des Gottes, der zudem die Brahmanenschnur, einen schweren Gürtel und ein Hüfttuch trägt. RH

39 Shivas Sohn Murukan

Südindien, 19. Jahrhundert
Kupferlegierung, H. 53,5 cm
Musée national des Arts Asiatiques Guimet, Paris, MG 11397

In aufrechter hieratischer Frontalpose und mit vier Armen dargestellt, hält Murukan in der linken oberen Hand den Donnerkeil. In einer der Rechten befindet sich eine Waffe, die aus drei miteinander verbundenen Rauten besteht und im Allgemeinen mit seinem Speer gleichgesetzt wird. Dieses Hauptattribut hatte ihm Vishvakarman, der Architekt der Götter, aus einem Sonnenstrahl gefertigt, und mit seiner Hilfe durchstiess der Gott einen Berg im Himalaya. Seine rechte untere Hand ist zur Schutzgeste erhoben, die linke untere Hand zur Geste der Wunschgewährung ausgebreitet, die den Gläubigen göttliche Gnade schenkt. Hinter ihm sieht man sein Reittier, den Pfau Paravani, mit einer Schlange im Schnabel, deren Körper und Nackenschild unter dem Hals des Vogels teilweise sichtbar sind. Der Pfau, ein Sonnenvogel, dessen prachtvolles Rad an die Sonnenstrahlen erinnert, gilt als Feind der Schlangen, die dem Wasser zugeordnet werden. Der Feuergott Agni hatte Murukan den Pfau bei seiner Geburt geschenkt.

In Südindien trägt Shivas Sohn traditionell eine kegelförmige Tiara und nicht die drei Haarsträhnen, mit welchen er in der nordindischen Bildkunst dargestellt wird – sie soll Murukans ewig junges Wesen unterstreichen, der in der Überlieferung vielfach auch einfach als «der Jüngling» bezeichnet wird. In derselben Absicht wird Murukan manchmal auch ohne Brahmanenschnur dargestellt, denn diese erhält ein Knabe erst nach seiner Initiation. Dieser Murukan jedoch trägt neben anderem Schmuck die Brahmanenschnur. Sie hängt von seiner linken Schulter quer über den Oberkörper. AO

40 Der heilige Appar

Indien, Tamil Nadu, Chola-Periode,
11. Jahrhundert
Kupferlegierung, H. 43 cm
National Museum, New Delhi, 91.83

Der shivaitische Heilige Appar oder «Geliebter Vater», wie ihn das heilige Kind Sambandar liebevoll genannt hatte, ist einer der drei gefeierten Nayanars, zu denen auch besagter Sambandar und der heilige Sundarar gehören. Bekannt als *muvar* oder «Geliebte Drei», lebten diese Heiligen zur Regierungszeit der Pallava und komponierten das *Thevaram,* «Die Hymnen an Shiva».

Appar stammt aus der Velala-Kaste. Aufgewachsen als Waisenkind, wurde er Jain-Mönch, konvertierte jedoch später wieder zum Shivaismus. Im *Periyapuranam* wird erzählt, dass er den Pallava-Herrscher Mahendravarman I., ebenfalls ein Anhänger des Jainismus, dazu brachte, zum Shivaismus zurückzukehren. Nach seiner Bekehrung verbrachte Appar den Rest seines Lebens damit, Gras mit einer Hacke zu beseitigen, welches zwischen den Pflastersteinen auf dem Weg zu Shivas Tempeln wuchs.

Diese glatt gearbeitete Skulptur aus dem 11. Jahrhundert zeigt Appar, das linke Bein gebeugt. Die Figur befindet sich auf einem runden Sockel mit rechteckiger Basis. Er trägt seine charakteristische Hacke in der rechten Armbeuge und ist mit einem kurzen, schlichten Tuch bekleidet, das von der Taille bis zu den Knien reicht. Beide Handflächen sind zu einer Geste der Verehrung gefaltet. Als Schmuck trägt er eine einreihige Halskette aus *Rudraksha*-Perlen und eine flache Kappe mit einer perlenbestickten Borte, ausserdem Armringe an Handgelenk und Oberarm. Wie auch in anderen Darstellungen hat Appar ungewöhnlich lange Ohrläppchen und sichtbar durchstochene Ohren. JED

Wenn man seine fein gezogenen
Augenbrauen,
das sanfte Lächeln seiner Lippen
und seine wirren Locken
von rötlichem Glanz sieht,
wenn man die milchweisse Asche
aus seiner feinverästelten
Korallengestalt erblickt,
ja wenn man nur die Schönheit
seines erhobenen Fusses
in goldenem Glanz erschaut,
wünschte man sich eine Wiedergeburt
als Mensch auf dieser Erde.[1]

1 *Tevaram,* Appar, 4.81.4. Vishwanathan Peterson 2004, S. 46, gibt eine englische Übersetzung, die vom Herausgeber ins Deutsche übertragen wurde.

41 Der heilige Sambandar

Indien, Tamil Nadu, Chola-Periode,
12. Jahrhundert
Kupferlegierung, H. 52 cm
Museum Rietberg Zürich, RVI 508
Geschenk Eduard von der Heydt

Tempelanlage von Cirkali, Tamil Nadu.

Tirujnana Sambandar ist einer der wichtigsten 63 shivaitischen Heiligen beziehungsweise «Führer» (Tam. *nayanar*). Den Legenden nach soll er im 7. oder 8. Jahrhundert gelebt haben. Sambandar komponierte schon als Kind unzählige Hymnen auf Shiva und Parvati, die noch heute gesungen werden.

Es heisst, dass er in einer Brahmanenfamilie in Cirkali zur Welt kam. Eines Tages sei er mit seinem Vater in den dortigen Shiva-Tempel gegangen. Der Vater reinigte sich zunächst im Tempelteich und liess seinen Sohn auf den Stufen, die zum Wasser hinabführten, zurück. Allein gelassen, begann der Knabe zu weinen. Da erschienen Shiva und Parvati auf Nandi reitend. Parvati gab ihm Milch aus ihrer Brust zu trinken. Als der Vater von seiner Waschung zurückkehrte, sah er seinen Sohn schmatzend auf den Stufen sitzen. Die Milch der Göttin tropfte noch von seinen Lippen. Er dachte, sein Sohn habe von den Opfergaben gegessen, und ärgerte sich. Schon wollte er ihn ohrfeigen, doch da begann der Knabe, eine erste Hymne an Shiva zu rezitieren.

In der Hagiografie gibt es viele Geschichten, die von Sambandars wundersamen Heilungen und Bekehrungen berichten. So brachte er zum Beispiel den abtrünnigen König Pantya zum Shivaismus zurück, nachdem dieser sich dem Jainismus zugewandt hatte.[1] Sein Lebensbericht endet mit seiner Hochzeit. Am Tage der Eheschliessung stieg er im Alter von 16 Jahren gemeinsam mit seiner Braut in den Himmel auf. Seitdem ist er der «vollkommen erleuchtete» Sambandar.

Diese Abbildung des Sambandar ist dem tanzenden Krishna, Kaliyamardana, auffallend ähnlich. Man könnte Sambandar auf den ersten Blick mit Krishna verwechseln. Doch gibt es zwei Details, die deutlich machen, worin sich Tirujnana Sambandar von Kaliyamardana unterscheidet: der erhobene rechte, himmelwärts gerichtete Zeigefinger und die Schlange (siehe Kat. 43). Das Stück hatte sich zunächst in der Sammlung von G. Jouveau Dubreuil in Pondichéry befunden, bevor es Eduard von der Heydt 1935 bei C. T. Loo in Paris erwarb. JB

Der Platz, auf dem Leichen brennen,
ist seine bevorzugte Bühne.
Dort tanzt er, den rechten Fuss erhoben,
mit Reifen geschmückt.
Hoch hält er in der Hand das Feuer,
blutrot flammend.
Wie ein Fächer breiten sich seine Locken aus,
im immer schneller werdenden,
schrecklichen Tanz.
Schlangen, glänzend und mit Linien
auf ihrem Körper,
schlängeln sich an seiner Hüfte herab.
Bekleidet mit dem Fell eines furchtbaren
Tigers und der Haut eines Elefanten
tanzt er wild, sich gehen lassend,
in Begleitung von Kobolden.[2]

Die Ohren geschmückt, seinen Stier reitend,
den strahlend weissen Mond im Haar,
beschmiert mit der Asche der Grabstätten
im Wald,
Er […] ist der Dieb, der mein Herz stahl –
unser Herr, der über den berühmten
Brahmapuram herrscht,
dem ausgezeichneten der Blume Entsprungenen seine Gnade verlieh,
der sich vor ihm verbeugte und ihn pries –
an jenem Tag. […][3]

1 Siehe dazu Dehejia 1988, S. 50 und Lefèvre 2006, S. 201–212.
2 Zitiert und übersetzt nach Subramanian 2002, S. 53 f.
3 *Tevaram,* Sambandar, 49.2, aus dem Tamil übersetzt von Kersenboom.

42 Der heilige Sambandar

Indien, Tamil Nadu, Chola-Periode,
12. Jahrhundert
Kupferlegierung, H. 11,4 cm
National Museum, New Delhi, 47.109/35

Diese kleine Skulptur zeigt das bezaubernde, nackte, heilige Kind Sambandar, einen glühenden Verehrer Shivas. Sambandar trägt hier ein kurzes Hüfttuch und einem Kind angemessenen Schmuck. Als einer der «Geliebten Drei» genoss er gemeinsam mit Appar und Sundarar besonderes Ansehen. Die Plastik zeigt ihn stehend oder im Tanz begriffen.

Seine Darstellung als tanzendes Kind bezieht sich auf eine Legende (siehe auch Kat. 41): Als Dreijähriger begleitete Sambandar seinen Vater oft zum Tempel. Dabei liess der Vater ihn einmal auf den Stufen des Tempelbeckens zurück, und er begann vor Hunger zu schreien. Als sein Vater zurückkehrte, fand er ihn mit einem goldenen Becher spielend, und Milch floss von seinem Kinn. Auf die Frage, woher die Milch komme, deutete er mit dem Zeigefinger auf das Bildnis von Parvati, die ihm ihre eigene Milch gegeben hatte. Und kaum hatte er die ersten Tropfen der Milch des «heiligen Wissens» getrunken, da begann er auch schon, Lieder zum Lobpreis von Shiva und Parvati zu summen und mit einem Paar goldener Zimbeln zu spielen, die auf wundersame Weise in seinen Händen erschienen waren. Er wird deshalb auch Tirujnana Sambandar genannt und mit einer Schüssel in der linken Hand und einem erhobenen Finger der rechten Hand dargestellt. Diese göttliche Weisheit entfachte in Sambandar das Feuer, den in Madurai regierenden Pandya-König wieder zum Shivaismus zu bekehren, der zum Jainismus gewechselt war. Sambandar kam nach Madurai, vollbrachte Wunder, überzeugte in religiösen Debatten und unterzog sich schliesslich einer Feuerprobe. Der König kehrte daraufhin zum Shivaismus zurück und liess die Jaina-Anhänger töten.

Die Herstellungsweise dieses tragbaren Bildnisses lässt darauf schliessen, dass es aus dem 12. Jahrhundert stammt und wahrscheinlich für einen Hausschrein bestimmt war. Gläubige Hindus konnten so Sambandar zu Hause verehren. JED

43 Der heilige Sambandar

Indien, Tamil Nadu, Chola-Periode, um 1050
Kupferlegierung, H. 43,2 cm
Victoria and Albert Museum, London,
IM.75-1935
Legat im Gedenken an Lord Ampthill

«Rehäugige Dame, grosse Pandya-Königin, hört mir zu! Fürchtet nicht um meine Sicherheit, weil Ihr mich für ein Kind haltet, kaum der Mutterbrust entwöhnt.»[1]

So pries das heilige Kind Sambandar (Tam. Campantar) die Göttin Minakshi, die ihn in der Rolle als Parvati beziehungsweise Uma, der Gemahlin Shivas, mit ihrer Milch gestillt hatte. Damit erlangte der Knabe göttliches Wissen, er wurde mit der «Milch der Weisheit» gesegnet (siehe Kat. 41 und 42). Der erwachsene Sambandar erwarb sich Ruhm durch seine heftigen Streitgespräche mit Jainas und Buddhisten, deren «fehlgeleitete Lehren» er verwarf. Er vollbrachte Wunder, die heute noch gefeiert werden, wie zum Beispiel beim alljährlichen Panguni-Fest in Mylapore, Chennai.

Sambandar ist hier als Kind dargestellt, wie er Hymnen zum Lobpreis Shivas singt. Der Zeigefinger seiner angehobenen Hand deutet himmelwärts zu Shiva – eine Geste der Verehrung, die ihn schon als ganz kleines Kind kennzeichnete. Abgesehen von einem Gürtel um seine Taille, einem breiten Halsband sowie Arm- und Fussreifen, ist er unbekleidet. Seine Ohrläppchen sind vergrössert, damit man Schmuck hineinstecken kann. Die Figur steht auf einem runden Lotossockel mit Befestigungslöchern für Prozessionen. Während Tempelprozessionen war es üblich, dass Skulpturen der Heiligen die Götterbilder begleiteten. Bis zum heutigen Tag nehmen sie diese Ehrenplätze ein.

Diese Statue wurde vermutlich bei Ausgrabungen im Distrikt Tirunelveli (Tinnevelly) gefunden und gelangte zwischen 1900 und 1906 in die Sammlung von Lord Ampthill, dem Gouverneur von Madras, dem heutigen Chennai. JG

1 *Tevaram,* Sambandar, 228.III.297, übersetzt nach Vishwanathan Peterson 1989, S. 277.

44 Der heilige Sundarar mit seiner Frau Paravai

Indien, Tamil Nadu, Chola-Periode,
11. Jahrhundert
Kupferlegierung, H. 71 cm, H. 60 cm
Privatsammlung

Wie die Götterstatuen wurden auch Bildnisse von Heiligen bei den Bhaktot-Savas-Festen an ihren Geburtstagen in Prozessionen durch die Strassen getragen. Die Geschichte von Sundarar und Paravai zeigt, dass Gottesverehrung sich in den Augen der Götter nicht in einem unbescholtenen, tugendhaften Leben erschöpft.

Sundarar erhielt seinen Namen «der unverschämte Gläubige» für den frechen Ton seiner Verse, mit welchen er Shivas heiliges Urteil infrage stellte. Nachdem er die Tempeltänzerin Paravai geheiratet hatte, verliebte er sich in die junge Sangili. Shiva gestattete diese neue Verbindung, obwohl sie gegen die Regeln verstiess. Später bedauerte Sundarar seine Untreue und bat Shiva um eine Wiedervereinigung mit Paravai. Trotzdem er von Shiva zur Strafe geblendet wurde, sang Sundarar unbeirrt weiterhin seine Loblieder auf den Gott und beklagte sein trauriges Los. Überwältigt von dessen Zuneigung, setzte sich Shiva schliesslich bei Paravai für ihn ein. Mit Paravai erneut glücklich vereint, erhielt Sundarar sein Augenlicht zurück. Und kurz vor seinem Lebensende trug ihn ein weisser Elefant zu Shivas ewigem Wohnsitz, auf den Berg Kailasa.

Sundarar und Paravai werden hier als Braut und Bräutigam dargestellt. Stehen sie aneinander, ruht sein Ellbogen auf ihrer Schulter. In seiner Dichtung beschreibt Sundarar Paravais dunkle Augen, schöne Brüste und ihren glatten Bauch, der dem Schild einer Kobra gleiche – dies kann man auch an der Statue bewundern.

Paravai wird auch einzeln verehrt. Sie erinnert die Gläubigen daran, dass die hinduistische Ehe ein Paar für die Ewigkeit bindet. Einerseits gaben Tänzerinnen Skulpturen der Göttin in Auftrag, andererseits Frauen untreuer Ehemänner, die Paravai für ihre Kraft zur Vergebung bewunderten.

Dieses Paar stammt wahrscheinlich aus dem späten 11. oder aus dem 12. Jahrhundert. Gestalt und Material von Sundarars heiliger Schnur und sein schönes Gesicht sprechen für diese Datierung, ebenso wie seine Gürtelschnalle mit den Bändern, die elegant aus den Lefzen des Dämonenmundes hervortreten. Auch Paravais Körperschmuck ist im Stil dieser Zeit gearbeitet. JTH

45 Der heilige Manikkavacakar

Indien, Tamil Nadu, Chola-Periode,
12. Jahrhundert
Kupferlegierung, H. 48,9 cm
Asia Society, New York, 1979.027
Mr. and Mrs. John D. Rockefeller 3rd Collection

Der junge Manikkavacakar ist hier mit blossem Oberkörper dargestellt; sein hauchfeines Hüfttuch schmiegt sich an seine Beine, als habe der Wind sich in ihm gefangen. Der Haarknoten und die Wellen und Locken seines Haares sind bis ins Detail ausgearbeitet. Beide Ohren sind durchstochen. Manikkavacakar, «jener, dessen Worte wie Rubine sind», ist ein südindischer Heiliger, der für seine ekstatischen Hymnen bekannt ist. Der Legende zufolge wurde der frühreife Jüngling im 9. Jahrhundert schon vor seinem zwanzigsten Lebensjahr Minister von König Varaguna Pandya von Madurai. Eines Tages, als er sich aufmachte, Kavalleriepferde für den König zu kaufen, begegnete er Shiva, der als Lehrer verkleidet war. Manikkavacakar bat darum, sein Schüler zu werden. Shiva lehrte ihn das Geheimnis der fünf heiligen Silben (*na-ma-shi-va-ya*, «gepriesen sei Shiva») und den Weg zur Erlösung. Er war so tief bewegt, dass er das Geld des Königs dafür verwendete, einen Shiva-Schrein im südindischen Peruntai zu bauen. Eine andere Version erzählt, dass er Shiva das Geld des Königs direkt anbot, der es dann den Armen gab. Manikkavacakar wurde von dem wütenden König ins Gefängnis geworfen, doch Shiva sorgte dafür, dass er dessen Gunst zurückgewann.

Auch Manikkavacakars Wunsch, ein Heiliger zu werden, blieb nicht unerfüllt.
Bei dem Buch, welches Manikkavacakar in seiner rechten Hand hält, handelt es sich um sein Hauptwerk: das *Tiruvacakam*, eine Sammlung von einundfünfzig Hymnen an Shiva. Er hält seine linke Hand in der Geste der Lehre.[1]

Figuren der Nayanars gehören zu den wichtigen Bildwerken in südindischen Tempelanlagen, sie befanden sich normalerweise in Hallen, die das Sanktum umgaben. Die Haltevorrichtungen auf der Sockelunterseite dieser Figur zeigen jedoch eindeutig, dass sie für Prozessionszwecke gefertigt wurde. Sie wurde wahrscheinlich bei Ausgrabungsarbeiten am Tempel von Tiruvan Vanpanalu, der aus der Chola-Periode stammt, entdeckt. AP

1 Barrett 1983/84, S. 365, Dye 2001, S. 168 ff., Dye 1982, S. 2 f., Leidy 1994, S. 54 f., Gopinatha Rao 1999, S. 473–480, Tarapor 1983, Abb. 14–15 und Washburn 1970, S. 46.

46 Der heilige Manikkavacakar

Indien, Tamil Nadu, Chola-Periode,
12. Jahrhundert
Kupferlegierung, H. 47,5 cm
National Museum, New Delhi, 75.353

Der shivaitische Heilige Manikkavacakar befand sich Mitte des 9. Jahrhunderts auf dem Höhepunkt seiner Karriere: Er war erster Minister am Hofe des Pandya-Königs Varaguna. Der Legende zufolge erschien ihm Shiva persönlich in Thirupperunturai und führte ihn in den Shivaismus ein (siehe auch Kat. 45). Daraufhin verzichtete Manikkavacakar auf seine irdische Stellung. Er wurde zu der gefeierten Gruppe der «Geliebten Drei» hinzugefügt, die aus dem heiligen Kind Sambandar, Appar und Sundarar bestand, und gemeinsam wurden sie als «Geliebte Vier» bekannt. Von einigen wurde Manikkavacakar auch als der vierundsechzigste Nayanar angesehen.[1]

Diese Skulptur aus dem späten 12. Jahrhundert zeigt Manikkavacakar in entspannter Pose auf einem elliptischen Lotospodest, welches auf eine rechteckige Basis aufgesetzt ist. In seiner linken Hand hält er ein Blatt, vielleicht aus seinem berühmten Werk *Tiruvacakam*, «Gesegnete Sprüche», einer Sammlung von einundfünfzig Hymnen, die seine Frömmigkeit und sein herausragendes dichterisches Können bezeugen. Noch heute werden diese Hymnen beim täglichen Gottesdienst rezitiert. Die tamilische Inschrift auf dem Blatt in seiner Linken, *Namah Shivaya*, bedeutet «Huldigung an Shiva». Die Finger seiner rechten Hand formen die Geste des Lehrens, die ihn als wandernden Lehrer ausweist. Die Augen sind weit geöffnet. Sein Gesicht drückt Gelassenheit und Stille aus, zugleich die wunderbare Glückseligkeit, die ihm zuteil geworden ist. Er trägt eine lange und eine kurze Halskette, Armringe an Handgelenk und Oberarm und eine besonders hervortretende heilige Schnur, die über seine linke Schulter fällt. Sein schön geschlungenes Hüfttuch fliesst weich bis zu den Knien herab. Seine Haarsträhnen, geordnet zu einem schmuckvollen runden Strahlenkranz, sind mit bemerkenswerter Präzision gearbeitet. Die vier Löcher dienen vermutlich dazu, die Figur gut auf dem Sockel zu befestigen. JED

1 Siehe Aufsatz Kersenboom, S. 71 und die deutschen Übersetzungen seiner Hymnen von Schomerus 1925 sowie Frenz und Nagarajan 1977.

47 Der heilige Manikkavacakar

Indien, Tamil Nadu,
vermutlich Distrikt Tanjavur, um 1500
Kupferlegierung, H. 56 cm
The British Museum, London, 1895.3-24.1

Manikkavacakar ist eng mit den dreiundsechzig Nayanars verbunden, obwohl er später als diese, gegen Ende des 9. Jahrhunderts, lebte. Seine Gottesverehrung stand der seiner Vorgänger in nichts nach. Er wird häufig gemeinsam mit den drei berühmtesten Nayanars – Appar, Sundarar und Sambandar – in einer Gruppe der wichtigsten Heiligen dargestellt. Wie seine Vorgänger sang auch Manikkavacakar Loblieder auf Shiva. Seine Kompositionen sind im *Tiruvacakam* versammelt, das im Laufe der Zeit dem *Tevaram*, den bereits existierenden Gedichten der ersten drei Heiligen, als achtes Buch des Shivaitischen Kanons hinzugefügt wurde.[1]

Manikkavacakar wird gewöhnlich wie hier im Kontrapost dargestellt und trägt ein Palmblatt-Manuskript in der linken Hand. Die andere Hand formt die Geste der Lehre. Sein schönes Haar – durchgehendes Merkmal der Statuen des heiligen Manikkavacakar – fächert sich hier auf seiner Stirn auf; eine ähnliche Darstellung findet man auch bei einer anderen Skulptur des Heiligen, die sich heute im Pudukottai-Museum befindet. Die Löcher im rechteckigen Sockel deuten darauf hin, dass dieses Bildnis für Prozessionen benutzt wurde.

Die jüngere Geschichte dieser Figur ist von einigem Interesse. Laut Herkunftsverzeichnis wurde sie auf dem Gelände eines gewissen J. J. Cotton ausgegraben, des Untereinnehmers von Tanjavur, dessen Hauptsitz sich in den Vierzigerjahren des 19. Jahrhunderts in Majaveram befand. Es ist daher anzunehmen, dass diese Skulptur wie viele andere im Süden zu Kriegszeiten vergraben wurde. Nach ihrer Entdeckung und vor dem Erwerb durch das British Museum wurde sie auf der Weltausstellung von 1851 im Hyde Park in London gezeigt. TRB

Als Äther, als Erde, als Wind, als Feuer,
als Fleisch, als Atem
bist du ein Wesen und bist doch keins,
ein König, der alle zum Tanzen bringt,
die da denken «ich» und «mein».
Kann ich je die Worte finden, dich zu preisen,
der du alles übersteigst?[2]

Als Gras, als Pflanze, als Wurm, als Baum,
als so manches wilde Tier;
als Vogel, als Schlange, als Stein, als Mensch,
als Teufel und als Dämon;
als unbeugsamer Himmlischer, als Weiser
und als Gott:
In Eile, nach Geburt und Wiedergeburt
unter immer neuen Wesen
unendlich müde –
kam ich heute nach Hause
und sah die goldenen Füsse, das innerste
Wesen unseres Herrn![3]

1 Siehe Aufsatz Kersenboom, S. 71.
2 *Tiruvacakam* 5,15; aus dem Tamil übersetzt von Kersenboom.
3 *Civapuranam* 26–32; aus dem Tamil übersetzt von Kersenboom.

48 Die heilige Mutter von Karaikkal

Indien, Tamil Nadu, Distrikt Tanjavur,
Chola-Periode, 13. Jahrhundert
Kupferlegierung, H. 25 cm
Victoria and Albert Museum, London,
IM.118-1924

Diese bemerkenswerte Vision des Grotesken ist eine «Porträtskulptur» der shivaitischen Dichterheiligen Karaikkal Ammaiyar (Tam. «Mutter von Karaikkal»), die im 6. Jahrhundert gelebt haben soll (vgl. Kat. 49). Den Legenden nach widmete sie ihr Leben dem Lobpreis Shivas, komponierte Hymnen und sang.

Als Begleitinstrument dienten ihr lediglich Zimbeln, wie sie in dieser Darstellung zu sehen sind.

Sie stammte aus einer wohlhabenden Kaufmannsfamilie der Hafenstadt Karaikkal und war von grosser Schönheit. Nach einer frühen Heirat wurde sie durch eine Reihe von Wundern dazu bewogen, auf Ehe und Familienleben zu verzichten und sich ganz der Verehrung Shivas zu widmen.[1]

Sie erlangte ihre ausgezehrte Gestalt, indem sie Shiva anflehte, er möge sie von allen weltlichen Fesseln befreien, auch von ihrer Schönheit. Shiva gab ihrem Wunsch statt und verwandelte sie; nunmehr glich sie in ihrem Aussehen den Skelettgeistern, die auf dem Einäscherungsplatz vor Shiva tanzen. Als Karaikkal Ammaiyar liess sie sich im Wald Tiruvalankadu nieder, der berühmten heiligen Stätte, wo Shiva inmitten der Scheiterhaufen den Tanz der Glückseligkeit tanzte. Sie blieb dort bis an ihr Lebensende und schrieb Hymnen, die den tanzenden Gott priesen, viele von ihnen voll schauriger Bilder von Tod und Verfall. Sie wies sich damit als eine von Shivas geisterhaften Jüngerinnen aus, die in Gesellschaft von Shivas zwergenhaften Diener-Kobolden auftraten.

Karaikkal Ammaiyar war eine der ersten Dichterheiligen der südindischen *Bhakti*-Bewegung, die für die hingebungsvolle Verehrung Shivas steht. Sie hatte einen nachhaltigen Einfluss auf einen volkstümlichen Hinduismus, weil ihre selbstlose Verehrung ihres Gottes für andere zum Vorbild wurde. JG

1 Zur Geschichte der Karaikkal Ammaiyar siehe Aufsatz Kersenboom, S. 67 f.

49 Die heilige Mutter von Karaikkal

Indien, Tamil Nadu, Chola-Periode, um 1050
Kupferlegierung, H. 49,8 cm
The Nelson-Atkins Museum of Art, Kansas City, Missouri
(Ankauf durch den Nelson Trust) 33-533

In der Stadt Karaikkal lebte einst Tanatattan, ein Angehöriger der Vaishya-Kaste. Er verheiratete seine Tochter Punitavatiyar mit einem gewissen Paramatattan. Eines Tages bekam seine Tochter von ihrem Gatten zwei Mangofrüchte zugesandt. Aus Mitgefühl gab sie die Früchte einem vorbeikommenden bettelnden und hungrigen shivaitischen Heiligen. Als ihr Mann nach Hause kam, forderte er die Früchte ein. Shiva half ihr in ihrer Not und zauberte einen Ersatz. Doch bemerkte der Gatte, dass die gereichten Mangos nicht jenen entsprachen, die er ihr geschickt hatte. Darauf erzählte Punitavatiyar ihrem Mann, was geschehen war. Doch er glaubte ihr nicht. Zum Beweis liess sich Punitavatiyar von Shiva eine weitere Frucht zaubern. Da Paramatattan nun glaubte, eine Göttin vor sich zu haben, beschloss er, sich von seiner Gattin zu trennen. Er heiratete ein zweites Mal und bekam eine Tochter, die er aus Ehrerbietung und in Erinnerung an seine erste Frau nach ihr benannte. Punitavatiyars Familie hatte unterdessen in Erfahrung gebracht, wo sich Paramatattan aufhielt, und brachte ihm seine erste Gattin hinterher. Doch Paramatattan wehrte sie mit der Begründung ab, dass sie keine Ehefrau, sondern eine Göttin sei. So bat Punitavatiyar Shiva, er möge ihr die schöne Gestalt nehmen, ihr hingegen ein hässliches Aussehen verleihen. Und so fiel das Fleisch von ihr ab, und sie wurde zu einem einzigen Knochengerüst. Von nun an dichtete sie Lieder für Shiva. Es wird sogar erzählt, dass sie sich auf dem Kopf fortbewegend zu ihm auf den Berg Kailasa begab.[1]

Die Figur zeigt die Heilige mit angewinkelten Beinen und eingezogenem Bauch in aufrechter Haltung sitzend, wie sie die Zimbeln zu ihren Hymnen an Shiva schlägt. Ihre Rippen sind deutlich zu erkennen, so abgemagert ist sie. Eine Schönheit ist sie längst nicht mehr – mit ihren Reisszähnen und den hochgezogenen Augenbrauen wirkt sie bedrohlich. JB

Ja, der Herr haucht Leben in alles –
sobald Formen zur Existenz gekommen sind –
schluckt der Herr selbst alles wieder –
Stück für Stück.
Wenn wir rufen «O Herr, mein Schöpfer»,
wenn grausames Leid uns befällt,
[...] dann verwandelt er auch das.[2]

Nur durch die Gnade der Füsse dessen,
der herumwirbelt und seinen heiligen Tanz
tanzt, die Taille begürtet mit einer Schlange,
das Haar geschmückt mit dem Mond,
finden die Sünden der «Teuflin Karaikkal»
mit ihren brennend roten Zähnen und
Lippen, die im tiefen Wald wohnt,
wo sie singt und zu ihren zehn Gesängen
tanzt, ein Ende.[3]

1 Zur Heiligenlegende siehe Kat. 48 und Schomerus 1925, S. 123 ff.
2 Siehe Karavelane 1982, S. 23, aus dem Tamil übersetzt von Saskia Kersenboom.
3 Siehe Karavelane 1982, S. 71, aus dem Tamil übersetzt von Saskia Kersenboom.

50 Der heilige Kannappa

Indien, Tamil Nadu, Tiruvelangadu,
Chola-Periode, 13. Jahrhundert
Kupferlegierung, H. 78 cm
Government Museum, Chennai, 338

Kannappa begab sich einst in den Wald, um zu jagen. Dabei erblickte er ein Linga. Überwältigt von Shivas Erscheinung, entschloss er sich, sein bisheriges Leben aufzugeben. Fortan wollte er nur noch Shiva dienen und opferte dem Gott sein erlegtes Wild – doch indem er ein Fleischopfer darbrachte, beging er ein schweres Sakrileg. Als Kannappa in Unwissenheit weiterhin Fleisch opferte, versetzte er den Tempelpriester in Zorn. Doch da Kannappa in religiöser Hingabe und aus Liebe zu Shiva gehandelt hatte und der Gottheit sogar seine beiden Augen opfern wollte, segnete ihn Shiva und erlöste ihn aus seinem irdischen Leben.

Der heilige Kannappa ist mit gefalteten Händen dargestellt. Das Haar zeigt die übliche Frisur der Jäger; in der Mitte von einem Band zusammengehalten. Die Halsketten sind kurz; dabei ist die untere mit einem runden Anhänger versehen. Über der rechten Schulter trägt Kannappa einen Köcher voller Pfeile. Von seiner linken Schulter hängt ein Bogen, auf der rechten Seite des Faltengürtels ein Dolch in einer Scheide zum linken Bein herab. Das Untergewand ist als feines Netz dargestellt und reicht fast bis zu den Knien; darüber trägt er einen Gürtel sowie einen Federschmuck. RB

51 Der heilige Chandesha

Indien, Tamil Nadu, Chola-Periode, 11. Jahrhundert
Kupferlegierung, H. 46,7 cm
The Nelson-Atkins Museum of Art, Kansas City, Missouri (Ankauf durch den Nelson Trust), 50-19

Zu sehen ist die Figur eines schlanken Mannes mit gefalteten Händen, dessen Beine überproportional lang sind. Aufgrund der Axt, die mit Shiva in Verbindung gebracht werden kann, lässt sich die Figur als Chandesha identifizieren. Auch Chandikeshvara oder Chanda Nayaka genannt, ist er der Heilige, der für Shivas personifizierte Wut steht.

Die Geschichte erzählt, dass sich einst ein Kuhhirte gegen den Missbrauch von Kühen einsetzte. Er kümmerte sich um die Tiere, und die Kühe schenkten ihm reichlich Milch. Was seinen Bedarf überstieg, opferte er einem Linga aus Sand, das er errichtet hatte. Die Dorfbewohner ärgerte diese Verschwendung sehr. Der Vater des Hirten begab sich daraufhin zu seinem Sohn und forderte ihn auf, dieses zu unterlassen. Als er seinen Sohn in tiefer Versenkung vorfand, zerstörte er vor Ärger das Linga, was einem Sakrileg an Shiva gleichkam. Wutentbrannt schlug dieser daraufhin seinem Vater ein Bein ab. Shiva lobte seine Hingabe, stellte den Vater wieder her und machte aus dem Hirten den heiligen Chandesha. JB

52 Modell eines Festwagens

Indien, Tamil Nadu, Pondichéry oder Karaikkal,
Anfang 20. Jahrhundert
Holz, H. 125 cm, B. 167 cm, T. 130 cm
Musée national des Arts Asiatiques Guimet,
MG 23420

Dieses kleinformatige Modell eines Festwagens (Skr. *ratha*, Tam. *ter*), das mit grosser Wahrscheinlichkeit aus Tamil Nadu stammt, befindet sich im Besitz des Musée Guimet. Es handelt sich dabei um sehr viel mehr als ein Modell im üblichen Sinn – man sollte es eher als verkleinerte Reproduktion bezeichnen.

Festwagen sind von imposanter Grösse – Bauwerken gleich – und bestehen traditionell aus drei Teilen: einem Fahrgestell mit Fahrwerk, einer mehrstöckigen Holzkonstruktion mit teils vorspringenden, teils zurückgesetzten Etagen; darauf steht ein Pavillon aus schlanken Pfeilern mit einer leichten, pyramidenförmigen Dachkonstruktion, in welchem sich bei Prozessionen das metallene Kultbild der Gottheit befindet.

Dem kleinen Wagen des Musée Guimet fehlt heute dieser Pavillon. Er ist mit sorgfältig und detailliert gearbeiteten Skulpturen verschiedener Art geschmückt, die in derselben Weise angeordnet sind wie diejenigen des originalen Wagens. Das Motivrepertoire ist zu weiten Teilen vishnuitisch. Es sind mythologische Szenen dargestellt, eine Episode stammt aus der Krishna-Legende, zudem werden die Herabkünfte Vishnus gezeigt. Neben den vishnuitischen Heiligen sind Einzelfiguren nicht identifizierbarer Gottheiten abgebildet sowie geflügelte Wesen, Tiere und Geschöpfe aus der Fabelwelt zu sehen. An der Vorderseite des Wagens bäumen sich vier angeschirrte grosse, geflügelte Pferde auf, die das Gefährt zu ziehen scheinen.

Es gilt inzwischen als erwiesen, dass das Wagenmodell auf der «exposition coloniale» in Marseille gezeigt wurde. Unklar ist jedoch, ob es sich um die Ausstellung von 1906 oder jene von 1922 handelte[1]. Die Prozessionswagen zählte man mit Recht zu den spektakulärsten und repräsentativsten Objekten der tamilischen Kunst. Dieses Modell hatte man ohne Zweifel zu Beginn des 20. Jahrhunderts bei einem auf solche Wagen spezialisierten Handwerker in Pondichéry oder Karaikkal in Auftrag gegeben, um den Besuchern der Marseiller Kolonialausstellung einen Eindruck von der Virtuosität der Kunsthandwerker und Bildhauer Südindiens zu vermitteln. AO

1 Régnier 1992, S. 85–112.

Prozessionswagen, Chidambaram, Tamil Nadu.

53 Zwei Dvarapalas, Torhüter

Relief eines Festwagens
Indien, Andhra Pradesh, 19./20. Jahrhundert
Holz, H. 146 cm, B. 48 bzw. 49 cm
Città di Lugano, Museo delle Culture,
As.Ind.1.005 und As.Ind.1.006

Die Eingänge eines Tempels werden von «Türwächtern» bewacht. Sie befinden sich auf den Eingangspfosten oder auf den hohen Türmen, welche sich über den Eingängen erheben. Je nachdem, welcher Gottheit der Tempel geweiht ist, handelt es sich um männliche oder weibliche Figuren. Sie tragen stets Waffen und haben einen zornigen Gesichtsausdruck mit weit aufgerissenen Augen und hervorstehenden, Furcht erregenden Eckzähnen.

Die zwei hier ausgestellten Bildnisse jedoch gehörten zu einem Festwagen. Die Wächterfiguren sind auf zwei Paneelen dargestellt, die wahrscheinlich unter der hohen Abdeckung auf die hölzerne Konstruktion des Wagens aufgezogen wurden, um eine Art Eingang zu bilden, durch den man die Ikone der Gottheit erblicken und so *darshana*, die selig machende Vision, empfangen konnte, genau so, wie es im Tempel geschieht.

Der Wagen war einer Gottheit aus dem Umkreis Shivas gewidmet, wenn nicht sogar einer der Erscheinungsformen von Shiva selbst, wie sowohl die Schlangen als auch die parallelen weissen Linien, in Gruppen von dreien, auf verschiedenen Körperteilen der Wächter vermuten lassen. Dieses dekorative Detail verweist auf die unter den Shiva-Anhängern übliche Praxis, eine Paste aus heiliger Asche und Wasser auf sechzehn Teilen des Körpers aufzutragen: Stirn, Brust, Bauch, linker Arm, linker Ellenbogen, linkes Handgelenk, rechter Arm, rechter Ellenbogen, rechtes Handgelenk, linke Schulter, rechte Schulter, linke Seite etwa fünfzehn Zentimeter unterhalb der Achsel, rechte Seite, linkes Knie, rechtes Knie und schliesslich die Ohrläppchen – immer in dieser Reihenfolge und bei jedem Auftragen den Namen Shivas oder das ihm geweihte Mantra aussprechend.[1]

Die Wächter erscheinen im ersten Moment spiegelbildlich dargestellt, unterscheiden sich in Wirklichkeit aber in den kleinsten Einzelheiten, wie etwa im Schmuck oder der Physiognomie. Auch die zum Angriff bereiten, sich um die Keulen windenden Schlangen unterscheiden sich voneinander. GB

1 Loud 2004, S. 83.

54 Tanzender Ganesha

Relief eines Festwagens
Indien, Tamil Nadu, 18. Jahrhundert
Teakholz, H. 34 cm, B. 23 cm
Musée national des Arts Asiatiques Guimet, Paris, MG 2653

Kaum war Ganesha erschaffen, den unheilvollen Taten der Dämonen entgegenzuwirken, begann er auch schon, vor den versammelten Göttern zu tanzen – so berichtet es das *Linga Purana*. Die frühesten Darstellungen zeigen Ganesha an der Seite Shivas oder der «Mütter» (Skr. *matrika*) tanzen, manchmal auch in der Gesellschaft von Shivas Gefolgsleuten, den *ganas*. Etwa im 8. Jahrhundert erscheint der Gott allein in seiner ganzen Herrlichkeit, lediglich umgeben von knienden Anhängern, die süsse Reisbälle offerieren, von Musikern und Trommlern, die stets in verkleinertem Massstab dargestellt sind. Dem tanzenden Ganesha werden acht Arme und die Farbe Gelb zugeschrieben. In der Bildkunst wird er jedoch häufig mit vier Armen dargestellt, das linke Bein leicht gebeugt, den rechten Fuss angehoben. Manchmal tanzt er auch auf dem Rücken seines Reittiers, der Ratte – ebenso wie Shiva auf seinem Stier Nandi.

Diese Festwagentafel zeigt Ganesha, wie er fröhlich einen Tanzschritt wagt; sein Reittier ist unter dem rechten, angehobenen Bein sichtbar. In einer seiner beiden rechten Hände hält er den Stachelstock (Skr. *ankusa*), in der anderen seinen abgebrochenen Stosszahn. In einer der linken Hände trägt er die Schlinge und einen Reiskuchen, auf den sich sein Rüssel richtet. Zu beiden Seiten des elefantenköpfigen Gottes sind zwei kleine Figuren dargestellt: rechts ein Sonnenschirmträger, traditionelles Zeichen der Würde und Macht, und auf der linken Seite ein kleiner dickbäuchiger Gefolgsmann von Shiva, der einen Korb auf dem Kopf trägt – vielleicht mit süssen Reiskuchen gefüllt? AO

55 Pferd

Skulptur eines Festwagens
Indien, Tamil Nadu, vor 1930
Holz, H. 154 cm, B. 132 cm
Città di Lugano, Museo delle Culture, As.Ind.1.012

Die grossen Wagen, auf denen die Gottheiten regelmässig den heiligen Bezirk verlassen, entsprechen in der Form und der Funktion den mythischen Himmelswagen, mit welchen die Götter die Lüfte durchpflügen. Einige Festwagen werden von Pferden gezogen.

Dieses Pferd war einst an der Stirnseite eines Festwagens angebracht. Das Tier ist einerseits naturgetreu wiedergegeben mit zum Wiehern geöffnetem Maul, gefletschten Zähnen und leicht hervortretender Zunge, andererseits verweisen Einzelheiten auf die fantastische Tierwelt des Hinduismus. So sind auf dem Bauch des Pferdes zwei tierische «Ruhmesgesichter» (Skr. *kirttimukha*) ohne Kiefer zu erkennen, die hier als Fibeln Verwendung finden, um den Sattel festzubinden. Zudem dient ein seltsames Ungeheuer zur Befestigung der Vorderbeine; womit zugleich die Darstellung eines schwierigen anatomischen Details gelöst ist. GB

56 Bhikshatanamurti, Shiva als Asket

Relief eines Festwagens
Indien, Tamil Nadu, Distrikt Tanjavur,
19. Jahrhundert
Holz, H. 62 cm, B. 36 cm
Museum für Asiatische Kunst, Kunstsammlung Süd-, Südost- und Zentralasien, Staatliche Museen zu Berlin, MIK I 319

Den Mythen nach zog Shiva als Bhikshatana, schöner Wanderasket, durch die Wälder des Himalaya, um die Gattinnen der vedischen Seher (Skr. *rishi*) zu verführen. Er wollte ihre eheliche Treue testen. Damit zog er den Zorn und die Eifersucht der Ehemänner auf sich, die ihm daraufhin sein Linga abschlugen. Shivas Linga verwandelte sich jedoch in eine Feuersäule und wurde von da an rituell verehrt (siehe Einleitung Beltz, S. 16 f.).

In Andeutung dieser Ereignisse sehen wir den jugendlichen, nackten Gott mit dem dritten Auge auf der Stirn und den gängigen Attributen Trommel (Skr. *damaru*), Dreizack (Skr. *trishula*) und Bettelschale (Skr. *kapala*). Letztere besteht aus dem Schädel des Gottes Brahma. Es wird berichtet, dass Shiva in seiner zornvollen Form als Bhairava einst Brahma köpfte, da dieser seine Position als Schöpfergott angezweifelt hatte. Neben sonstigem Schmuck trägt er eine Schlange um die Hüfte sowie hölzerne Sandalen. Seine Asketenlocken sind kronenförmig aufgetürmt, wobei einige Strähnen auf die Schultern niederfallen. Die Einsiedlerin mit einem Napf in Händen ist in Andeutung der erotischen Ereignisse mit nach unten gerutschtem Rock und ekstatischem Gesichtsausdruck dargestellt. Von rechts nähert sich einer von Shivas Helfern, ein dickleibiger Zwerg. Auf dem Kopf trägt er eine Schale mit Süssigkeiten als Opfergaben für den Gott. Als weitere Anspielung auf die Mythen füttert Shiva eine Antilope, die sich ihm in spielerischen Sprüngen nähert. Sie erinnert an die schwarze Antilope, Symbol des Schöpfergottes Prajapati, den Shiva einst erfolgreich jagte. RH

57 Bhikshatanamurti, Shiva als Asket

Relief eines Festwagens
Indien, Tamil Nadu, Karaikkal,
18. Jahrhundert
Teakholz, H. 42 cm, B. 25 cm
Musée national des Arts Asiatiques Guimet, Paris, MG 554

Shiva ist hier der höchst verführerische Büsser, ein nackter Asket, dessen unvergleichliche Schönheit die Frauen der Weisen verführt, die bis dahin im Wald von Daruvana ein frommes Leben geführt hatten (siehe Einleitung Beltz, S. 18 und Kat. 56). Seine wohlproportionierte Nacktheit wird durch schlichten Schmuck – wie etwa die Schlange, die sich geschmeidig um seine Hüften schmiegt – zur Geltung gebracht. Nach Art der Asketen und der heimatlosen, umherwandernden Bettelmönche trägt er hölzerne Sandalen mit dicker Sohle und einem grossen Knopf zwischen der ersten und zweiten Zehe. Sein für Asketen typischer dicker und halb aufgelöster Haarknoten bildet einen Kreis oder einen Nimbus, um sein einnehmendes Gesicht. In der indischen Bildkunst tritt er oft mit einer Antilope in Erscheinung. Auf die Hinterbeine gestellt, schnappt sie nach dem Büschel *Durva*-Gras, welches ihr der schöne Asket mit einer seiner rechten Hände entgegenstreckt – ein Kraut, das während religiöser Zeremonien benutzt wird.

Wir finden hier die für Bhikshatana typische Ikonografie: In seinen beiden linken Händen hält er den Dreizack und die Schädelschale, in einer seiner rechten Hände die Sanduhr-Trommel. Ausser der sich aufbäumenden Antilope begleitet ihn ein kleiner korpulenter Zwerg, der einen Korb oder eine Schale auf dem Kopf trägt; zweifellos handelt es sich hier eher um den Anführer von Shivas Gefolgsleuten, der eine Schale mit Almosen trägt, die in manchen Texten als obligatorisches Attribut des Bhikshatana angesehen wird, als um ein Geistwesen, wie andere vermuten. AO

58 Urdhvatandavamurti, Shiva tanzt mit emporgestrecktem Bein

Relief eines Festwagens
Indien, Tamil Nadu, 18./19. Jahrhundert
Holz, H. 46 cm, B. 21,5 cm
Città di Lugano, Museo delle Culture, As.Ind.1.003

Das Relief stellt Shiva als Nataraja dar. Das linke Bein ist angewinkelt, der Fuss entschlossen auf Apasmara gestützt, während das rechte Bein gänzlich angehoben und zum Himmel gestreckt erscheint, die Ferse auf der Höhe des Gesichts. Die Gottheit hatte ursprünglich vier Armpaare, doch sind die rechten Arme zerstört, lediglich die untere rechte Hand ist verblieben. In der «Habe-keine-Furcht»-Geste gewährt sie, zum Gläubigen hin gewandt, Schutz und Frieden. Einer der linken Arme liegt dem Körper in der Elefantengeste an, und zwei der linken Hände tragen Flamme und Schild. Im oberen Teil überschütten zwei geflügelte Luftwesen (Skr. *gandharva*) die Gottheit mit geweihtem Wasser. Ein «Antlitz des Ruhmes» (Skr. *kirttimukha*) schliesst die Komposition ab: der Flammenkranz, welcher den Gott krönend umgibt.

Der hier dargestellte Tanz *urdhvatandava* lässt sich an Shivas emporgestrecktem Bein gut erkennen. Die Pose verweist auf den Wettstreit zwischen Shiva und Kali. Shiva besiegte die Göttin einst, indem er sein Bein in diese Stellung brachte – eine Körperhaltung, die Kali als schamhafte Frau unmöglich hätte einnehmen können.[1] GB

1 Zur Legende siehe Aufsatz Kersenboom, S. 69 f.

59 Sadashivamurti, der ewige Shiva

Relief eines Festwagens
Indien, Tamil Nadu, 18. Jahrhundert
Teakholz, H. 40 cm, B. 25 cm
Musée national des Arts Asiatiques
Guimet, Paris, MG 20951

Auf einem Lotos mit fünffacher Blütenkrone sitzend, ist der Gott Shiva hier in der höchsten Form mit fünf Gesichtern dargestellt – als «der ewig Gnadenvolle». Der südliche Shivaismus verehrt diese fünffache Form von Shiva mit ihrem komplexen Symbolismus ganz besonders. Die fünf Gesichter entsprechen den fünf Handlungen des Gottes ebenso wie den fünf Richtungen (Himmelsrichtungen und Zenit) und den fünf Elementen (Erde, Wasser, Feuer, Luft und Äther). Durch die fünf Münder dieser fünf dreiäugigen Gesichter wurden die Agamas ausgestossen, grundlegende Texte des südindischen Shivaismus. In den zehn Händen – zwei davon sind heute nicht mehr erhalten – finden sich die Attribute des Gottes wie zum Beispiel der Dreizack, die Schlinge oder die Schlange. Schlangen winden sich zudem um Oberkörper und Taille und dienen Shiva als Schmuck. AO

60 Fünfköpfige Gottheit

Relief eines Festwagens
Indien, Tamil Nadu, 18./19. Jahrhundert
Holz, H. 52 cm, B. 23 cm
Città di Lugano, Museo delle Culture, As.Ind.1.011

Zweifellos stellt diese Figur eine männliche Gottheit dar. Sie besitzt fünf Köpfe und fünf Armpaare. Die fünf Gesichter tragen Bärte, sie blicken gebieterisch, würdevoll und heiter. Das Haar ist zu einem hohen Haarknoten aufgetürmt, wie es bei Asketen üblich ist. An den Ohren hängen schwere Ringe, weitere Schmuckstücke zieren den Körper, das Gewand erscheint prachtvoll und elegant. Die Beine sind angewinkelt, vielleicht zu einer Tanzpose formiert, die Füsse nackt. Zwei Hände halten ein Buch im Schoss. Laubwerk und ein tierartiges Wesen sind im Hintergrund zu sehen.

Es ist nicht eindeutig klar, welche Gottheit auf dem Relief dargestellt ist. Es könnte sich um eine Form Shivas handeln: um Shiva in seiner komplexesten und höchsten Form, als Shiva «mit den fünf Gesichtern» oder auch Sadashiva, «höchster Shiva» genannt. Das nach Art der Asketen zu einem Haarknoten aufgesteckte Haar sowie ein möglicherweise drittes Auge auf der Stirn lassen sich dem Gott zuweisen. Körperhaltung, Kleidung und Bart entsprechen hingegen überhaupt nicht der üblichen Darstellung Shivas. Die Haartracht, der Bart, das Buch und die Girlande lassen vielmehr die Vermutung zu, dass Brahma abgebildet ist. Zudem könnten die Gegenstände in den oberen Händen Keule und Lotos darstellen. Dieser Deutung widerspricht jedoch, dass Brahma stets nur mit vier Köpfen gezeigt wird. Allerdings besass Brahma fünf Köpfe, bevor Shiva ihm den einen abschlug, was bedeuten würde, dass Brahma hier vor seiner Enthauptung abgebildet ist.[1] Da seine Häupter auf den meisten Abbildungen wiederum ganz anders angeordnet sind – jeder der vier Köpfe in eine Himmelsrichtung gewandt, der fünfte zum Zenit – bleibt fraglich, um welche Gottheit es sich handelt. GB

1 Zur Legende siehe Aufsatz Kersenboom, S. 71.

61 Ekapadamurti, Shiva als der Einfüssige

Relief eines Festwagens
Indien, Tamil Nadu, vermutlich Kumbakonam, 18. Jahrhundert
Teakholz, H. 55 cm, B. 26 cm
Musée national des Arts Asiatiques Guimet, Paris, MG 20904
Geschenk Jouveau Dubreuil

Diese symbolische Darstellung der brahmanischen Trinität verherrlicht die Vorrangstellung Shivas. Er wird als höchster Gott des Universums verehrt, er steht über Brahma und Vishnu. Brahma und Vishnu ragen bis zur Körpermitte aus Shivas Flanken, die Hände zur Huldigungsgeste gefaltet, und schwingen in den Nebenhänden ihre kennzeichnenden Attribute: Der vierköpfige Brahma führt das Wassergefäss mit sich, Vishnu die Scheibe. Vor den Gottheiten erhebt sich je eine flammengekrönte Säule. Der in strenger Frontalansicht dargestellte Shiva hält in einer seiner rechten Hände die Axt; die drei anderen Hände sind zerbrochen.

Die «einfüssige» Sonderform von Shiva, die häufig dem ikonografischen Repertoire des südindischen Hinduismus zugeschrieben wird, ist eine deutlich sektiererische Interpretation der drei kosmischen Funktionen des höchsten Gottes – Schöpfung, Erhaltung und Zerstörung. Von den Vishnuiten kennt man eine analoge Darstellung der höchsten Gottheit: Aus dem Körper des thronenden Vishnu-Vasudeva treten die Götter Brahma und Siva hervor.[1] Jouveau Dubreuil schrieb über die Darstellung des einfüssigen Shiva, die er einige Jahre darauf dem Musée Guimet schenkte: «Wir haben bereits festgestellt, dass Shiva als der höchste Gott angesehen wird; [diese Festwagentafel] macht sehr gut deutlich, dass Brahma und Vishnu für die Shivaiten gleichwesentliche Gottheiten von Shiva sind, die ihm aber untergeordnet sind [...]. Vishnu und Brahma scheinen aus der Wesenssubstanz von Shiva hervorzugehen.»[2] AO

1 Gopinatha Rao 1914, S. 45, Tafel F.
2 Jouveau Dubreuil 1914, S. 22, Tafel IV.

62 Tripuravijayamurti, Shiva als Bezwinger der drei Städte

Relief eines Festwagens
Indien, Tamil Nadu, vermutlich Shrirangam, 18. Jahrhundert
Teakholz, H. 51 cm, B. 23 cm
Musée national des Arts Asiatiques Guimet, Paris, MG 479

Maya, der Architekt der Antigötter, hatte einst drei Städte errichtet, von denen eine aus Eisen, eine andere aus Silber und die dritte aus Gold bestand. Im Laufe von tausend Jahren wuchsen diese drei Anlagen so ineinander, dass sie eine einzige uneinnehmbare Stadt bildeten: Tripura – «die drei Städte».

Drei von Stolz und Hochmut erfüllte Dämonen herrschten über die unbezwingbaren Städte. Sie unterdrückten durch Machtmissbrauch die Welt so sehr, dass die Götter in ihrer Verzweiflung Shiva anflehten, Tripura zu zerstören. Daraufhin baute Vishvakarman, der göttliche Architekt, Shiva einen Streitwagen, der aus der Erde selbst mit ihren Gebirgen und ihren Ozeanen bestand, Sonne und Mond dienten als seine Räder, die Veden waren ihm Pferde und der Gott Brahma der Köcher. Auf diesem Wagen sitzend, spannte der Gott einen unfehlbaren Pfeil in seinen Bogen und schoss ihn mit grosser Wucht auf die drei Städte. Die dreifache Stadt ging daraufhin in Flammen auf und versank in Schutt und Asche.

Shiva ist hier in der Bogenschützenposition dargestellt: Sein rechtes Bein ist nach hinten gestreckt, das linke gebeugt und auf den Streitwagen gestützt. Seine vier Hände halten Pfeil und Bogen, zudem Dreizack und Antilope. Dem Gott gegenüber sieht man die drei Antigötter, Vidyunmali, Tarakaksha und Kamalaksha, wie sie zur Hälfte aus ihren Luftfestungen hervorkommen. Mit zur Huldigung gefalteten Händen erscheinen sie vor dem siegreichen Gott, der ihre Herrschaft überwinden wird. AO

63 Shiva reitet auf Nandi

Relief eines Festwagens
Indien, Tamil Nadu, 18./19. Jahrhundert
Holz, H. 46,2 cm, B. 18 cm
Città di Lugano, Museo delle Culture,
As.Ind.1.016

Shiva wird hier mit vier Armen dargestellt. Mit seiner vorderen rechten Hand erteilt er den Gläubigen Frieden und Schutz, während die vordere linke Hand die Geste der göttlichen Gnade ausführt. Die obere rechte Hand hält seine Streitaxt, die als Symbol der Zerstörung aller weltlichen Bindungen gedeutet werden kann. Die in der zweiten linken Hand auf den Hinterbeinen stehende Antilope erinnert an die Verbindung des Gottes zu den wilden Tieren und seine Herrschaft über die Natur. GB

64 Andhakasuramurti, Shiva tötet den Dämon Andhakasura

Relief eines Festwagens
Indien, Tamil Nadu, 18. Jahrhundert
Teakholz, H. 52 cm, B. 23 cm
Musée national des Arts Asiatiques Guimet,
Paris, MG 5765
Geschenk Holz (1915)

Der mächtige Dämon Andhaka hatte durch seine lange Askese und seine grosse Willenskraft Brahma dazu gebracht, ihm besondere Wünsche zu erfüllen. Doch die Götter lehnten sich gegen seine Allmacht auf, die ihre eigene Position bedrohte.

Sie baten Shiva, den unbezwingbaren Antigott (Skr. *asura*) zu töten. Shiva spannte daraufhin seinen Bogen und verwundete den mächtigen Andhaka mit seinem Pfeil. Der Dämon blutete stark, und jeder Blutstropfen, der den Boden berührte, brachte auf der Stelle einen neuen Antigott hervor, Ebenbilder des schrecklichen Andhaka. Mit vereinten Kräften gingen diese nun gegen Shiva vor. Doch auch als Shiva den Dämon mit dem Dreizack durchstiess, vermochte er den Blutstrom nicht zu stillen. So schuf er Yogeshvari, eine personifizierte weibliche Energie (Skr. *shakti*). Die anderen Götter folgten seinem Beispiel und brachten ebenfalls ihre *shakti* hervor. Diese tranken das Blut des Dämons, noch bevor es den Boden netzte, und verhinderten damit die Entstehung neue Antigötter. So wurde der unbesiegbare Andhaka schliesslich bezwungen.

In der indischen Bildkunst ist Shiva normalerweise mit seinem Dreizack in beiden Händen dargestellt. Hier ist der Gott mit acht Händen ausgestattet, die seine Attribute halten; die wilde Erscheinungsform (Skr. *ugra*) wird durch die Fangzähne, die hochgezogenen Lefzen und den Nimbus, der seinen Kopf umgibt, zum Ausdruck gebracht. Sein Reittier Nandi ist zu seiner Rechten dargestellt, während zu seiner Linken ein weiser Seher mit dem typischen Haarknoten der Asketen und zur Geste der Huldigung gefalteten Händen zu sehen ist. AO

65 Durga Mahishasuramardini

Relief eines Festwagens
Indien, Tamil Nadu, 18. Jahrhundert
Holz, H. 66 cm, B. 28,5 cm
Città di Lugano, Museo delle Culture,
As.Ind.1.021

Das Relief zeigt die Göttin Durga in ihrer kriegerischen und schrecklichen Form – als die «Unergründliche». Im Begriff, den Büffeldämon Mahisha zu bezwingen, ist sie hier in aussergewöhnlicher Dynamik dargestellt – sie ist Durga Mahishasuramardini, «jene, die den Antigott (Skr. *asura*) Mahisha tötet».[1]

Die Göttin hält den Dreizack in Händen, den ihr Shiva übergab. Andere Hände tragen rechts den Diskus von Vishnu, den Bogen von Vayu und wahrscheinlich das von Varuna erhaltene Muschelhorn. Die Waffen, die Durga in ihren drei rechten Händen hält, sind verloren gegangen. Ebenso fehlen weitere Details des Paneels. Die Inbrunst der Göttin, mit welcher sie sich im Kampf aufopfert, lässt sich nicht nur an ihrer Körperhaltung ablesen, sondern auch an ihrem erzürnten Gesichtsausdruck, den weit aufgerissenen Augen und hervorstehenden Eckzähnen sowie dem Nimbus, der ihren Kopf umgibt. Die Göttin befindet sich auf ihrem Reittier, einem Löwen mit schrecklichem Antlitz, hervorstehenden Augen und geöffnetem Rachen. Der Antigott, mit menschlichem Körper und Büffelgesicht, liegt auf dem Erdboden, er schwingt vergeblich sein Schwert, um sich zu verteidigen. Doch der Dreizack steckt bereits in seinem Bauch.

Der Triumph der Göttin über den Büffeldämon Mahisha kann als Sieg über die Dunkelheit und den Tod gedeutet werden: Ein schwarzer Büffel ist das Reittier und zugleich tierische Gestalt des Todesgottes Yama. GB

1 Zur Legende siehe Aufsatz Kersenboom, S. 54.

66 Göttin Ganga

Relief eines Festwagens
Indien, Tamil Nadu, 17./18. Jahrhundert
Holz, H. 47 cm, B. 25 cm
Città di Lugano, Museo delle Culture,
As.Ind.1.002

Dargestellt ist ein junges Mädchen. In anmutiger Haltung sitzt es mit gebeugtem Bein und geschmeidigem Oberkörper auf einem Tier – dabei erinnert die junge Göttin an eine Baumnymphe. Zwei Nebenfiguren umgeben sie, eine männliche auf der rechten und eine weibliche auf der linken Seite. Die dargestellten Pflanzen sind vom Künstler üppig und prachtvoll ausgearbeitet. Jede Einzelheit ist mit grossem Können und Raffinesse wiedergegeben, von den luftigen Gewändern der jungen Mädchen bis zum Federkleid der kleinen Papageien, die mit ihren langen Schwänzen der Komposition Gleichgewicht und Dynamik verleihen. Bei dem Tier, auf welchem sich die Gottheit befindet, handelt es sich um eine Art mythischen Wasserwesens (Skr. *makara*), das die Merkmale des Delphins, des Krokodils und des Elefanten in sich vereint: Es ist das Reittier der Göttin Ganga, Personifizierung des heiligen Flusses Ganges.

Es ist jedoch nicht vollständig klar, wen das junge Mädchen auf dem *makara* tatsächlich darstellt. In Südindien wird dieses Reittier generell allen Flussgöttinnen zugewiesen. Der kleine Papagei auf der Hand ist ein Attribut der Braut Shivas, wie sie in Kanchipuram dargestellt ist, wo sie als Kamakshi lebt, «diejenige, welche die Augen voller Liebe hat», und in Madurai, wo sie Minakshi genannt wird. Dort ist Shivas Braut «jene, die Fischaugen hat» – damit wird einerseits auf den Zauber ihres Blickes angespielt, andererseits ihre Verbindung zur Liebe, die durch den Fisch symbolisiert wird, betont.[1] Ein kleiner Papagei befindet sich ebenfalls auf Darstellungen von Shivakamasundari, der «Schönen, die von Shiva geliebt wird». Auch Ganga wird manchmal als Braut Shivas betrachtet, ist sie doch stets bei ihm, auf seinem Haupt, und lässt sich von seinem Haar auf den Erdboden gleiten.

Es könnte sich bei dem abgebildeten Mädchen auch um eine himmlische Nymphe handeln, eine «himmlische Schönheit». Doch die zwei Nebenfiguren sind kleiner dargestellt und damit der Hauptfigur unterstellt. So handelt es sich eher um eine hochrangige Göttin als um ein anonymes Himmelsgeschöpf. Die links abgebildete Helferin – eine Fächerschwenkerin vielleicht – ist im Laufe der Zeit beschädigt worden. Sie begleitet die Hauptgottheit und bekräftigt durch den Akt des Dienens deren königliche Würde. Der Wächter zur Rechten trägt mit zornigem Ausdruck einen Schild und besass einst vermutlich eine weitere Waffe. Da diese beiden Begleitfiguren in der Tempelarchitektur oft Seite an Seite auf den Eingangspfeilern postiert sind, wird zudem die Hypothese untermauert, dass es sich bei der Göttin auf dem *makara* um die Flussgöttin Ganga handelt. GB

1 Siehe hierzu Aufsatz Kersenboom, S. 50.

67 Nandivahana, das Reittier Shivas

Indien, vielleicht Tamil Nadu,
Ende 19. / Mitte 20. Jahrhundert
Holz, polychrome Bemalung, Metall, H. 154 cm
Museum für Asiatische Kunst, Kunstsammlung Süd-, Südost- und Zentralasien, Staatliche Museen zu Berlin, MIK I 5958

Shivas weisser, majestätischer Stier mit dem heute geläufigen Namen Nandi verkörpert ähnlich seinem Gebieter Stärke, Virilität und Fruchtbarkeit. Bereits in prähistorischer Zeit spielt der Stier als stärkstes domestiziertes Tier für die Menschen eine grosse Rolle. In der vorvedischen Zeit wird er mit verschiedenen Gottheiten in Verbindung gebracht, seit der Kushana-Zeit (ungefähr 1. bis 3. Jahrhundert) ist er eng mit Shiva assoziiert. Auf vielen nordwestindischen Münzen ist Shiva als Stier abgebildet. In Südindien ist der liegende Nandi unabdingbarer Bestandteil jedes Shiva-Tempels und oft in monumentaler Grösse gegenüber dem Haupttempel der Gottheit positioniert.

Dieser grosse Nandi aus Holz war ursprünglich eine Prozessionsfigur: Noch heute werden an besonderen Festtagen die festlich geschmückten Götter zusammen mit ihren Reittieren gezeigt. Der gezäumte und gesattelte, zum Teil mit kräftigen Farben und floralen Mustern bemalte Nandi ist hier in natürlicher Pose mit geöffnetem Maul und leckender Zunge dargestellt. Details wie die Ohren oder der Höcker sind separat gearbeitet. Die Hoden des Tieres schwingen frei, an einem Metallring befestigt. RH

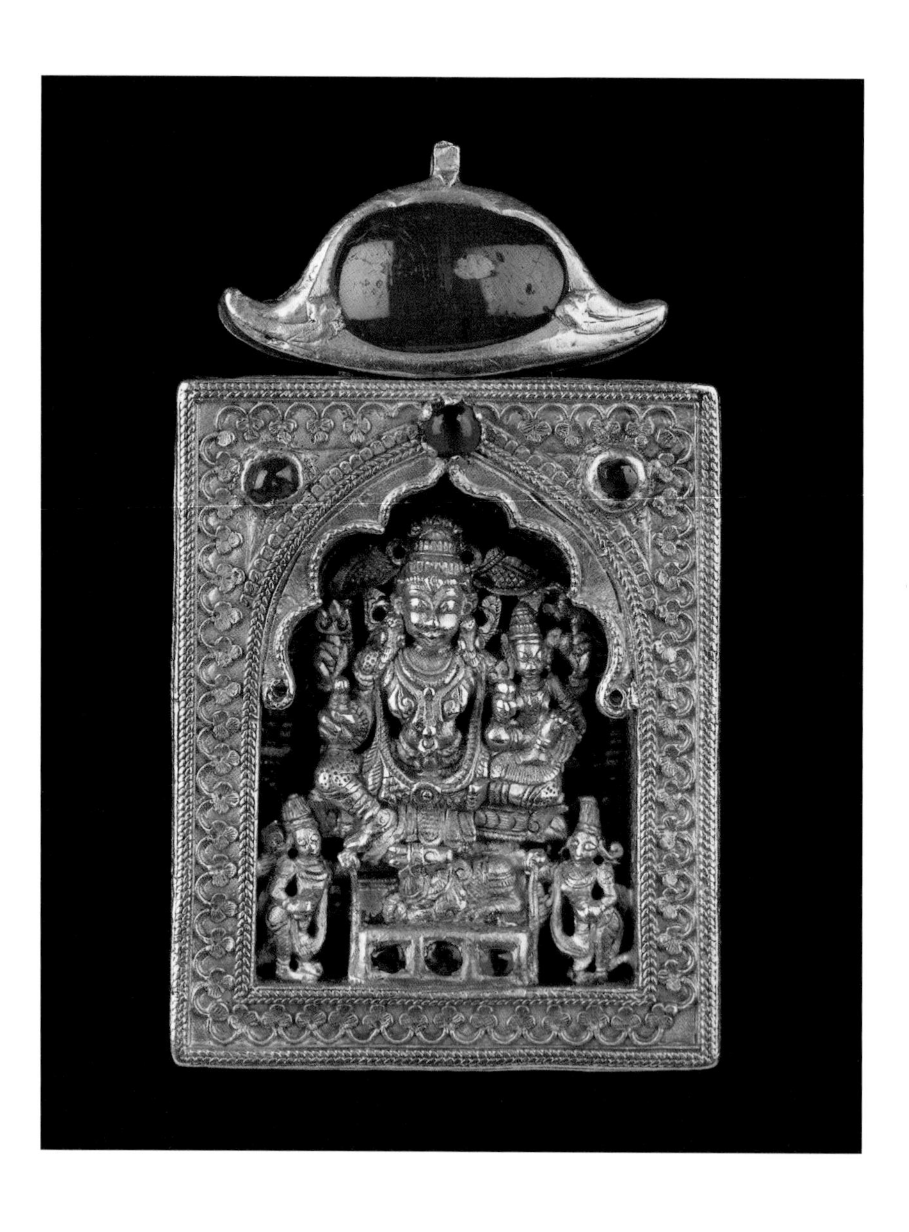

68 Anhänger

Indien, Tamil Nadu, 17. Jahrhundert
Gold, Rubine und Smaragde, H. 3,5 cm
Susan L. Beningson Collection

Shiva sitzt auf seinem Juwelenthron in der Tempelnische, seine Gattin Parvati hat es sich auf seinem Schoss bequem gemacht. Beide Götter tragen schön gearbeitete Kronen und verschwenderisch dargestellten Schmuck wie etwa lange Anhänger, Blumengürtel, Oberarm- und Fussreifen. Auf der mit drei Rubinen geschmückten Basis des Throns sitzt der Reitstier Nandi; elegant wendet er den Hals und blickt einen der beiden Diener an, die zu beiden Seiten des Thrones stehen. Stier und Diener sind ebenfalls geschmückt: Die Diener tragen sorgfältig gearbeitete Kronen, lange Halsketten, Ohrringe, Armreifen sowie schön fliessende Gewänder. Die Götter sitzen in ihrem eigenen Miniaturtempel, dessen reiche, feinstausgearbeitete Architektur der Anbetende nur teilweise ausmachen kann. Die Säulen zu beiden Seiten des Throns und die reichen Details inner- und ausserhalb der Thronnische sind sichtbar; doch der Anbetende kann die Einzelheiten im Inneren der Nischenwölbung oder das Gesicht des Fabelwesens (Skr. *kirtimukha*), welches über Shivas Krone hockt, nicht genau erkennen. Aussen sitzen drei Rubine über dem Scheitelpunkt der Nische, und ein grosser Cabochon-Rubin obenauf bildet den Durchlauf für die Kette. Die Gesichter der Götter sind dort abgewetzt, wo sie der Gläubige bei der *puja* berührt hat, und man findet auch Reste des roten *Kumkum*-Puders, das bei diesen Ritualen verwendet wird.

Der Miniaturtempel ist auf allen Seiten des Anhängers bis ins Detail ausgearbeitet. Auf der Rückseite des Anhängers befindet sich eine kleine Tür; öffnet man sie, erkennt man auf der Türinnenseite das eingravierte Horoskop des Besitzers. SLB

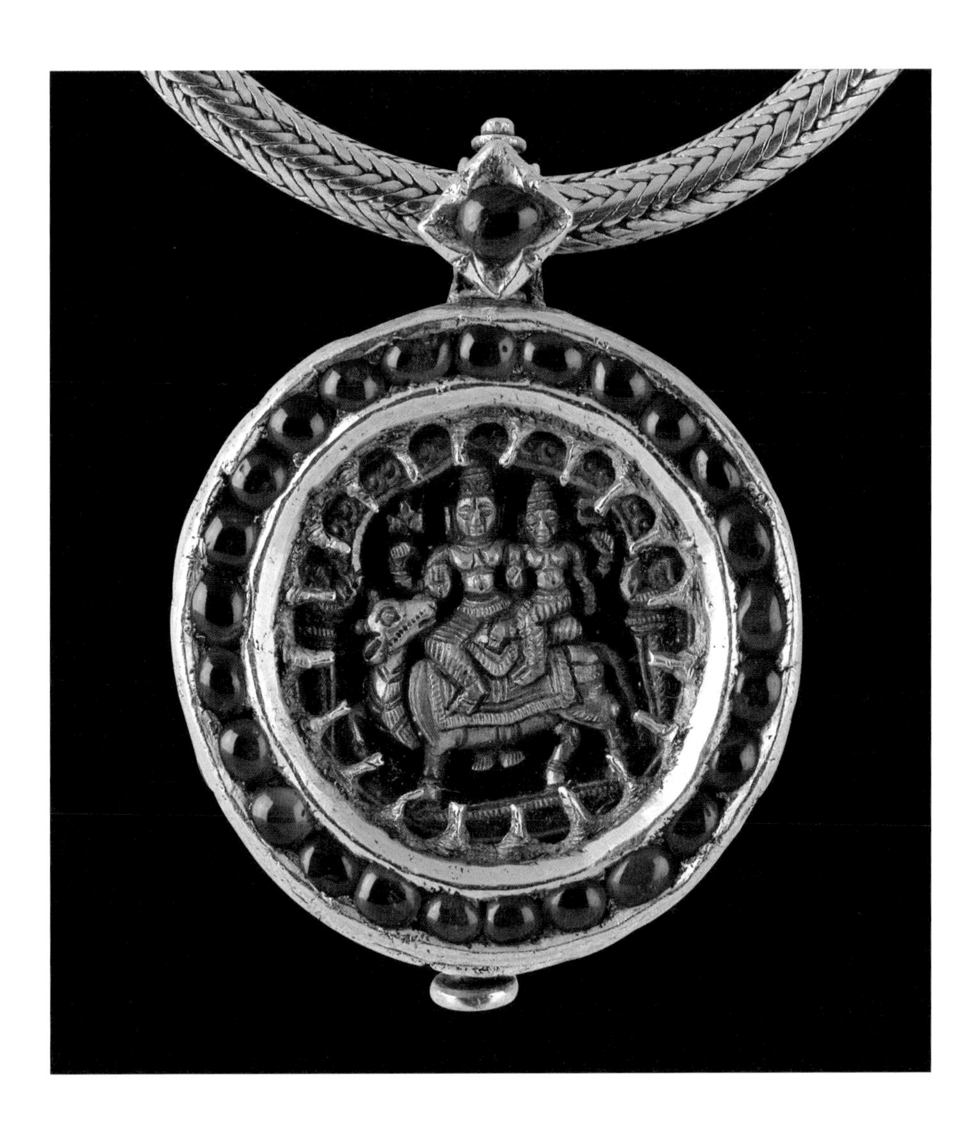

69 Anhänger

Indien, Tamil Nadu, 17. Jahrhundert
Gold, Rubine und Kristall, D. 4 cm
Susan L. Beningson Collection

Anhänger von dieser Schönheit und diesem Alter sind in Südindien eine Seltenheit. Das Schmuckstück sollte als persönlicher Tempelschrein dienen. Der von einem Kreis aus glitzernden Cabochon-Rubinen gerahmte Kristalldeckel hebt sich, sobald die Schraube am Boden des Anhängers gedreht und damit gelöst wird. Innen reiten Shiva und seine Gattin Parvati auf Nandi und schauen dem Anbetenden in die Augen. Indem sie sich dem rituellen «Sehen» (Skr. *darshana*) darbieten, segnen die Tempelgötter im Schrein den Gläubigen bei dieser intimen Form der Verehrung (Skr. *bhakti*). Shiva sitzt mit gebeugtem linkem Bein, auf dem Parvati bequem Platz findet, sein rechtes Bein hängt auf Nandis schön gearbeitetes Satteltuch herab. Er schlingt seinen linken Arm zärtlich um Parvati. Der Stier wendet sehnsüchtig seinen langen Hals, um auf die beiden Götter zu blicken. Shivas und Parvatis Kleidung ist elegant gezeichnet und betont den etwas rundlichen Bauch des Gottes und seine kräftige Brust sowie Parvatis üppigen Busen. Nandis Gesicht, Nacken, Satteldecke und Fesseln sind ebenfalls sorgfältig ausgearbeitet; seine besonders detailreich gestaltete Satteldecke ist unter der Brust und am Rücken mit Schmuckbändern und Verzierungen befestigt. Nandi bedeutet «der Freudige», und mit seinem liebevollen Verhalten zollt er den Gottheiten auf seinem Rücken Respekt. Beide Götter tragen Kronen und werden ringsum von mit Kapitellen gekrönten Tempelsäulen des heiligen Bogengangs eingerahmt. Die originale Kette läuft durch einen Anhänger in Form einer Lotosblüte, die einen grossen Cabochon-Rubin fasst. Die Kette wurde auf die gleiche Weise gewoben wie Ketten zur Zeit der klassischen Antike in Griechenland und Rom. SLB

70 A, B

Zwei Zopf-Ornamente mit Kobra-Köpfen

Indien, Tamil Nadu oder Karnataka,
18./19. Jahrhundert
(a) H. 9 cm, (b) H. 5 cm
Susan L. Beningson Collection

Auf dem grösseren Schmuckstück (a) sitzen Shiva und Parvati auf drei gehörnten Fabelwesen (Skr. *kirtimukhas*) mit detailliert dargestellten Vogelkörpern, kleinen Flügeln und fein gearbeiteten Schwänzen. Ein viertes Fabelwesen ist in einem Meer von Pflanzen und floralen Arabesken weiter unten zu erkennen. Die Kobra umgibt Shiva und Parvati. Die zahlreichen Köpfe der Schlange begrenzen die Schutznische der Götter nach oben. Zwei heilige Gänse flankieren die vielköpfige Schlange. Die untere Seite des Haarschmucks ist mit kleinen Blumen verziert.

Auf dem kleineren Ornament (b) wird Shiva von einem geflügelten Dienerpaar umrahmt, das sich an Arabesken aus Stoff- und Pflanzensträngen festhält, welche an der Unterseite des Ornaments in einen ähnlichen Schmuckrand zusammenlaufen; in der Mitte befindet sich das maskenartige Gesicht eines *kirtimukha*. Auch dieses Schmuckornament ist ähnlich wie das grosse Stück mit kleinen Blumen und Perlen umrahmt. Die Rückseiten bestehen jeweils aus Silber.

Ähnlicher Schmuck wurde in den Tempelschätzen von Mysore in Karnataka gefunden, und man nimmt an, dass er in einer Werkstatt des Königshauses in Madurai entstanden ist.[1] *Kirtimukhas* und ineinanderverschlungene Kobras schmücken häufig die Türrahmen oder Portale von Hindu-Tempeln, die zu der Gottheit im Inneren führen. Durch die Glück verheissende und zugleich Unheil abwehrende Funktion der dargestellten Wesen dient der Schmuck nicht allein dazu, den Eingang ins Allerheiligste zu verschönern, sondern auch als schützender Rahmen für die Gottheit im Schrein, um Gefahren abzuwenden.[2] SLB

1 Aitken 2004, S. 67.
2 Donaldson 1976, S. 189.

71

Armreif

Südindien, 19. Jahrhundert
Rubine, Smaragde, Diamanten und Perlen,
D. 8 cm
Susan L. Beningson Collection

Der Armreif ist mit Rubinen, Smaragden und Diamanten geschmückt, die zu beiden Seiten des juwelenbesetzten Ornaments einen Ring aus Blütenblättern bilden. Jeder grosse Stein ist als einzelne Blüte in Gold gefasst, mit kleineren Smaragden über der Spitze jedes Blütenblattes. Der äussere Ring des Armreifs ist mit einer Reihe von Perlen geschmückt, die genau in eine Vertiefung passen, die zu diesem Zweck in das Gold gegossen wurde. Der innere Ring ist mit einer zweireihigen Verzierung versehen, welche die Basis der Blüten darstellt; die eine Zierleiste ist eingeritzt, die andere gegossen. Wenn man an den beiden mit Rubinen besetzten Schrauben dreht, öffnet sich der Armreif. SLB

72

Halskette mit Anhänger

Südindien, 19. Jahrhundert
Rubine, Diamanten, Smaragde und Perlen,
L. 30,8 cm
Susan L. Beningson Collection

Die Kette besteht aus einer Reihe miteinander verbundener Halbmonde, die mit Cabochon-Rubinen eingelegt und ineinandergesetzt sind. Sie bilden die opulente Schauseite des perlenbehangenen Halsschmucks. An beiden vorderen Enden der Kette sitzen mit Rubinen und Diamanten eingelegte kleine Pfauen, die das Mittelstück und Zentralmedaillon einrahmen. Ketten dieser Art, vorwiegend mit Rubinen besetzt, sind charakteristisch für den Schmuck Südindiens. Möglicherweise wurde die Kette getragen, doch da die Rückseite des Geschmeides keine Verziehrungen aufweist, handelt es sich wahrscheinlich um eine Stiftung für den Tempelschmuck oder einer Gottheit zu Ehren: Ketten, die von Menschen getragen werden – und nicht etwa von Göttern –, sind für gewöhnlich beidseitig verziert.

Auf den Wänden des grossen Königstempels aus der Chola-Periode in der Hauptstadt Tanjavur sind ausführliche Inschriften von Kaiser Rajarajas Schwester Kundavai erhalten: Dabei handelt es sich um eine Auflistung des Schmucks, den sie den Statuen der Gottheiten im Tempel gestiftet hatte.[1] Das Schmücken eines Kultbildes ist Teil des täglichen Gottesdienstes im Tempel. Nachdem man die Bildnisse in Seide und Baumwolle gekleidet hat, schmückt man sie mit Juwelen. Mit Opfergaben wie Sandelholzpaste, Blumen und Weihrauch wird daraufhin die *puja* fortgesetzt.[2] SLB

1 Dehejia 2002, S. 224.
2 Dehejia 2002, S. 225.

73

Gebetskette

Südindien, 19. Jahrhundert
Getrocknete Beeren, Korallen, Gold, L. 18 cm
Susan L. Beningson Collection

Gebetsketten, die unserem Rosenkranz vergleichbar sind, werden üblicherweise aus 108 getrockneten Beeren eines immergrünen Sauerklee-Gewächses angefertigt. Einigen Mythen zufolge handelt es sich bei den Früchten um die Tränen Shivas, die bei seinem Kampf mit den drei Dämonen auf die Erde fielen. Bei dieser Kette wechseln sich die Beeren mit Korallenperlen ab. SLB

74 und 75 Zwei Dvarapalas, Torhüter

Indien, Tamil Nadu, vermutlich Gegend
um Tanjavur, 17. Jahrhundert
Elfenbein, H. 19 cm
Museum Rietberg Zürich, RVI 746 a / b
Geschenk Dr. Carlo Fleischmann-Stiftung

Dieses Tempelwächterpaar gehörte wohl ursprünglich zu einem Schrein oder einer Figurengruppe. Die Stifte an den Seiten weisen deutlich darauf hin, dass sich den Figuren weitere Teile anschlossen, die uns heute jedoch nicht mehr zur Verfügung stehen. JB

76 Kalarimurti, Shiva als Überwinder der Zeit

Indien, Tamil Nadu, vielleicht Madurai,
18. Jahrhundert
Elfenbeinschnitzerei, H. 10,8 cm
Museum für Asiatische Kunst, Kunstsammlung Süd-, Südost- und Zentralasien, Staatliche Museen zu Berlin, MIK I 1525

Aufgrund seiner Haltung gleicht Shiva hier den shivaitischen Wächterfiguren (vgl. Kat. 8, 74, 75). Die vier Arme und die mitgeführten Attribute wie die Schlinge (Skr. *pasha*) und die Axt (Skr. *parashu*), auf welche er sich mit dem linken Fuss zu stützen scheint, weisen den Gott jedoch eindeutig als Shiva aus. Als typisch südindisches Merkmal Shivas gilt die Antilope (Skr. *mriga*), die er in einer rechten Hand hält. Sie steht für seine Herrschaft über Mensch und Natur, verweist auf seine Funktion als Herr der Tiere (Skr. *Pashupati*). Die angedeuteten Fangzähne wie auch die Handgeste mit dem nach oben weisenden Zeigefinger (Skr. *sucimudra,* «Nadelgeste») geben an, dass Shiva hier als Kalarimurti, als Überwinder der Zeit oder des Todes, abgebildet ist. Reich geschmückt, trägt Shiva zudem eine Kette mit Glöckchen und die prächtige Krone aus geflochtenem Haar (Skr. *jatamukuta*). RH

77 Shiva Nataraja und Parvati

Indien, Tamil Nadu, 19. Jahrhundert
Malerei auf Stoff mit eingelegtem Gold
und farbigem Glas,
H. 49,5 cm, B. 48 cm
The British Museum, London, 1939.3-11.01
Geschenk J. H. Drake

Shiva ist in seiner kanonischen Form mit vier Armen und Apasmara zu seinen Füssen dargestellt. Er trägt eine schwere Blumengirlande um die Schultern, ausserdem Perlen- und Juwelenschnüre, die über seine Brust fallen. Um seine Hüften ist ein Tigerfell geschlungen, wie es die Asketen tragen. Bei dem dargestellten Tempel handelt es sich vermutlich um den Tempel von Chidambaram. Shiva tanzt in einer Säulenhalle – es könnte sich um die «Halle der Weisheit» (Skr. *citsabha*) der heiligen Stätte handeln. Shiva wird von seinen Anhängern einerseits als Asket betrachtet, zugleich aber auch mit Kleidung und Girlanden behängt und von seinen eigenen brahmanischen Priestern, den *dikshitar*, bedient. Zu seiner Rechten bringen sie Lichtopfer mit Lampen dar, zu seiner Linken *Bilva*-Blätter. Der Himmel ist dunkel, was darauf schliessen lässt, dass wir hier das Abendritual betrachten.

Dieses grosse Bild des tanzenden Shiva in der *Ananda-tandava*-Pose ist typisch für die Kunst des 18. und 19. Jahrhunderts in der Region von Tanjavur in Südindien; besonders kennzeichnendes Merkmal ist das eingelegte Gold und farbige Glas.[1] Wahrscheinlich handelt es sich bei dem Gemälde um die Abbildung eines Kultbildes aus dem berühmten Shiva-Tempel in Chidambaram. Vermutlich diente es Pilgern als Souvenir, welche die Malerei in ihrem Hausschrein aufbewahrten.

Das Gemälde gehörte Sir Stamford Raffles (1781–1826), der von 1811 bis 1815 Gouverneur von Java war. Heute ist er eher als der spätere Gründer von Singapur bekannt. Seine reichhaltige Sammlung erwarb er zu grossen Teilen während seiner Regierungszeit in Java. Sie befindet sich heute in verschiedenen britischen Museen, vor allem im British Museum in London. Der Hauptteil der Sammlung wurde im 19. Jahrhundert gestiftet. Einige Stücke wie auch diese Malerei verblieben in der Familie. Raffles Nachfahrin J. H. Drake vermachte dieses Bild neben vielen anderen Zeichnungen aus Java Mitte des 20. Jahrhunderts dem British Museum. Wie Raffles das Gemälde erwarb – zu welchem ein zweites Bild gehört, das Shiva und Parvati auf Nandi reitend zeigt (Kat. 78) –, ist nicht bekannt; als Erwerbsort käme sicherlich Chennai infrage, der wichtigste Umschlagspunkt zwischen den britischen Territorien in Südostasien und weiter westlich gelegenen Besitzungen. TRB

1 Zu den sogenannten Tanjavur Paintings siehe unter anderem Nachiappan 2004 sowie Gupta und Mani 2005.

78 Shiva und Parvati auf Nandi

Indien, Tamil Nadu, Tanjavur-Stil,
spätes 18. / frühes 19. Jahrhundert
Farbe und Blattgold auf Stoff mit eingelegtem farbigem Glas, H. 81,5 cm, B. 61 cm
The British Museum, London, 1939.3-11.02
Geschenk J. H. Drake

Der südindische Betrachter erkennt in diesem Bild unmittelbar zwei Prozessionsbronzen von Shiva und Parvati, die beim Fest aus dem Tempel gebracht und durch die Strassen getragen werden. Hier sitzen die beiden auf ihrem Reittier, dem Stier Nandi. Die Skulpturen der Götter sind in verschwenderische Gewänder gekleidet und mit Juwelen und Girlanden behängt. Ihre Bildnisse ruhen auf kostbarem Stoff, der über Nandis Rücken geworfen ist; Nandi trägt ausser der Schabracke einen juwelenbeschlagenen Halfter und zwei Reihen goldener Glocken um den Hals. Das Brandzeichen auf seinem Schenkel ist der Dreizack – die Waffe Shivas. Eine schwere, vergoldete, runde Rückenplatte erhebt sich hinter den Gottheiten. Die Götter schauen den Gläubigen unbewegt an und gewähren *darshana* (direkten Augenkontakt; ein Segen für den Anbetenden). Zu beiden Seiten der Gruppe sind koboldartige Diener Shivas dargestellt, die Fliegenwedel aus Yakschwänzen über ihren Köpfen schwingen. Die festliche Prozessionsatmosphäre des Bildes wird durch die Architektur im Hintergrund betont. Dabei handelt es sich nicht um die Abbildung eines Tempels, sondern eines weltlichen Gebäudes, vielleicht eines Palastes – die geschwungenen Bögen erinnern an den Königspalast von Tanjavur. Der Stil des Gemäldes mit seinen überladenen Verzierungen und die ovalen Gesichter der Figuren sind typisch für die Tanjavur-Malerei.

Das Bild stellt das Gegenstück zur Darstellung des Shiva Nataraja (Kat. 77) dar. Es stammt ebenfalls aus der Sammlung, die Sir Stamford Raffles Ende 18., Anfang 19. Jahrhundert zusammengestellt hatte. Seine Nachfahrin J. H. Drake vermachte das Bild schliesslich dem British Museum. TRB

73
26
Brahma

79 Shiva Nataraja mit seiner Gemahlin Shivakamasundari und den Weisen Patanjali und Vyagrapada

Indien, Tamil Nadu,
«Kompanie-Stil», um 1820
Malerei auf europäischem Papier mit Wasserzeichen, Bildmass H. 28,5 cm, B. 22,5 cm
The British Museum, London, 2007.3005.26
Brooke-Sewell-Stiftung

Dieses Gemälde in leuchtenden Farben stammt aus einer Gruppe von dreiundsechzig Bildern, die das British Museum kürzlich erworben hat. Alle sind im sogenannten Kompanie-Stil ausgeführt, das heisst, sie wurden von einem Europäer in Auftrag gegeben (bei den frühesten Stücken stellte man sich diesen als Angestellten der britischen Ostindien-Kompanie vor); dabei hat der indische Künstler häufig – wie auch hier – geripptes europäisches Papier verwendet und einige Elemente der europäischen Bildkonventionen eingefügt, wie Perspektive, Schattenwurf, ja selbst Engel zu beiden Seiten des Gottes, die diesen mit Blumen überschütten. Das vorliegende Bild scheint ebenso wie die übrigen im selben Portfolio Teil eines Bildverzeichnisses der Gottheiten Südindiens gewesen zu sein, obgleich es nicht vollständig ist. Viele Bilder sind mit englischen Unterschriften versehen, die jedoch häufig falsch sind (so ist dieses Bild mit «Brahma» bezeichnet).

Diese Gemäldegruppe ist auch deswegen so interessant, weil sich hier viele Bilder von Shiva in seinen verschiedenen Gestalten finden – darunter auch die Darstellung des Nataraja.

Nataraja ist in ein Tigerfell gekleidet und tanzt den *ananda tandava;* unter seinem rechten Fuss liegt der Dämon Apasmara. An Shivas linker Seite unterstützt ihn seine Frau Parvati, die in Begleitung des Nataraja als Shivakamasundari bekannt ist. Zu seiner Rechten sieht man die Weisen Patanjali (halb Schlange, halb Mensch) und Vyagrapada (halb Tiger, halb Mensch). Die beiden Weisen sind besonders mit dem bedeutenden Tempel Chidambaram verbunden, der Shiva Nataraja geweiht ist; sie erscheinen denn auch als Skulpturen auf dem östlichen Torturm (Skr. *gopuram*) des Tempels. TRB

80 Shiva Nataraja, begleitet von Shivakamasundari

Indien, Tamil Nadu, Tanjavur oder Tirucchirapalli, «Kompanie-Stil», um 1820
Malerei auf europäischem geripptem Papier mit Wasserzeichen von 1820, Bildmass H. 17,8 cm, B. 22,5 cm
The British Museum, London, 1962.12-31.013(90)

Nataraja wird wie üblich dargestellt: den einen Fuss auf Apasmaras Kopf platziert. Hier stützt sich Shiva zudem mit seinem linken, zum Tanz erhobenen Fuss auf einem Schlangendämon ab, welchen Apasmara zu ihm emporhebt. Shivakamasundari zu seiner Linken schaut den Betrachter an, ihre Augen sind damit nicht auf ihren Herrn und Gatten gerichtet, wie wir es aus anderen Abbildungen kennen.

Den europäischen Einfluss erkennt man an der rosa Schattierung, die der Figur eine Illusion von Dreidimensionalität verleihen soll. Das Gemälde weist am unteren Rand eine Bildunterschrift in Telugu – der Hofsprache der Maratha-Könige von Tanjavur – auf, eine *lingua franca,* welche im 18. und frühen 19. Jahrhundert im mittleren und nördlichen Tamil Nadu gesprochen wurde. Das Bild gehört zum selben Typ wie Kat. 79, obgleich es von etwas minderer Qualität ist und eine etwas andere Ikonografie aufweist. Es bildet die Seite 90 in einem Album meist ikonografischer Darstellungen der Gottheiten Südindiens. Das Album ist in europäischer Manier in braunes Leder gebunden und trägt das Wappen von Lord Farnborough: ein Hinweis darauf, dass es mit Geldern erworben wurde, welche Farnborough zur Erweiterung der bereits im British Museum befindlichen Manuskript-Sammlung des Onkels seiner Frau, Francis Egerton, des Grafen von Bridgewater, zur Verfügung gestellt hatte. Das Album kam im Jahre 1849 ans British Museum, erworben vom Londoner Buchhändler Thomas Rodd d. J. (1796–1849), der das von seinem gleichfalls berühmten Vater Thomas Rodd d. Ä. gegründete Geschäft in der Great Newport Street in Covent Garden weiterführte. TRB

81 A, B, C, D
SHIVA IN PIERRE SONNERATS SÜDINDIENBERICHT

Pierre Sonnerat, *Voyage aux Indes orientales et à la Chine,* Paris, Froulé 1782
Tafeln 32, 58, 53, 56, Kupferstiche,
Seitenmasse H. 25,5 cm, B. 19 cm;
Bildmasse H. 19 cm, B. 15 cm
Zentralbibliothek Zürich

In der zweiten Hälfte des 18. Jahrhunderts, unter dem Vorzeichen verstärkter Kolonialbestrebungen Frankreichs, unternahm der Naturforscher Pierre Sonnerat (1748–1814) mehrere Reisen nach Südostasien. Besonders die wiederholten Aufenthalte in Südindien und die Begegnung mit dessen antiken Kulturen scheinen den feinsinnigen Beobachter beflügelt und seinen Wissensdurst angeregt zu haben: 1782 veröffentlichte er in Paris das zweibändige *Voyage aux Indes Orientales et à la Chine*. Den Hauptgegenstand des Werks bilden Kultur und Religion Indiens. Mit seiner ebenso erfolgreichen wie kontrovers rezipierten Publikation beabsichtigte Sonnerat, einem gebildeten Publikum eine umfassende verbale und visuelle Einführung und Übersicht in einen Themenkomplex zu geben, der seit dem späten 17. Jahrhundert wissenschaftliche Kreise antiquarischer wie religiöser Ausrichtung beschäftigte. Die Monumente und Traditionen Indiens bewiesen, dass von einem ursprünglichen Monotheismus ausgegangen werden könne und dass der Subkontinent die Wiege aller Religion und Philosophie gewesen sei.

Der gesamte erste Band der *Voyage* stellt eine ethnografische Studie indischen Lebens dar. Die Bücher zwei und drei sind der Religion der Inder gewidmet, wobei das zweite Buch ausschliesslich das indische Pantheon behandelt. Die ausführlichen Schilderungen zu Religion und Mythologie – gespeist aus dem Kompilieren früherer europäischer Indienberichte, aus Gesprächen mit Brahmanen wie auch aus Übersetzungen indischer Texte – enthalten einen überaus reichen Illustrationsapparat. Von den total 140 Kupferstichen sind beachtliche 80 der Kultur Indiens gewidmet, davon 55 Tafeln religiösen Sujets, wovon wiederum 31 Gottheiten darstellen.

Sonnerat, ein talentierter Zeichner, lieferte selbst die vielen Bildvorlagen für seinen Bericht. Die dadurch entstandene wechselseitige Bedingtheit von Text und Illustration stellt eine wissenschaftshistorisch äusserst interessante Ausnahmeerscheinung dar.

Die von Poisson in das druckgrafische Medium übersetzten Darstellungen südindischen Stils – viele Bilder bezog Sonnerat aus der Hauptstadt Französisch-Indiens Pondichéry – zeichnen sich, mit Ausnahme weniger Falttafeln, durch einheitliche Grösse und Ausführung aus; der Hintergrund ist nicht anekdotisch ausgestaltet, sondern neutral hell belassen, der Fokus liegt auf den dargestellten Figuren. In Stil und Sujet erscheinen sie dem damals jungen Genre der Company Paintings (benannt nach der East India Company, vgl. Kat. 82 A, B, C, D) verwandt. Zwar liess sich der zeichnende Feldforscher bei der Wahl des Bildgegenstands immer wieder stark von den visuellen Vorstellungen früherer europäischer Indien-Literatur leiten – etwa indischer Asketen, der Witwenverbrennung, des Hakenschwingen-Rituals oder der zehn Herabkünfte Vishnus –, sodass sein Illustrationsapparat in thematischer Hinsicht jenen der Vorgängerwerke verwandt erscheint. Die eigene Anschauung und direkte Erfahrung Sonnerats führten jedoch zu einer bemerkenswerten Erweiterung und Verfeinerung der Inhalte, die sich nunmehr durch eine grosse ethnografische Präzision auszeichnen. Der dem europäischen Blick bekannte und vertraute Indien-Kanon wurde, gerade auch im Bereich des Götterpantheons und seiner Ikonografie, entscheidend erweitert. Während vorausgegangene Indien-Bücher meist nur eine einzige Darstellung zur shivaitischen Ikonografie enthielten, widmet Sonnerat der Gottheit ein eigenes Kapitel mit neun Illustrationen.

Sonnerats prächtige Tafeln, seine wohl beachtlichste Leistung, trafen etwa gleichzeitig mit den Überseebildern von James Cooks malenden Reisegefährten in Europa ein und wurden mit begeistertem Interesse aufgenommen, wovon nicht zuletzt die verschiedenen Ausgaben, Übersetzungen (in Deutsch, Schwedisch und Englisch) und Neuauflagen der *Voyage aux Indes orientales et à la Chine* Zeugnis ablegen. PWG

81 A **SHIVA UND VISHNU IN EINER GESTALT**
81 B **SHIVAS SOHN VIRABHADRA**
81 C **SHIVA «HALB MANN, HALB FRAU»**
81 D **SHIVAS SOHN MURUKAN**

CHIVEN ET VICHENOU

sous le nom de Sangara naraïnen

VIRAPATREN

CHIVEN

Moitié Homme et moitié Femme

SOUPRAMANIER

82 A, B, C, D
Vier Zeichnungen von Tempelprozessionen und Tempelszenen

Indien, Tamil Nadu, Tanjavur oder vielleicht Tirucchirapalli, «Kompanie-Stil», frühes 19. Jahrhundert
Feder und Tusche mit nachträglicher Kolorierung auf europäischem Papier, auf der Rückseite persischer Text in arabischer Schrift,
Bildmasse H. 19,7 cm, B. 35 cm
The British Museum, London, 2005.1-12.01-05
Brooke-Sewell-Stiftung

Diese vier Werke stammen aus einer grösseren Gruppe von mindestens dreizehn Zeichnungen; während sich eine in Privatbesitz befindet, gehören sieben dem British Museum. Die gesamte Gruppe wurde auf einem Londoner Strassenmarkt an der Portobello Road gefunden. Ihre Provenienz ist nicht bekannt. Der Stil lässt darauf schliessen, dass dem Zeichner europäische Konventionen, wie etwa das Schattieren, um eine Körper-Raum-Illusion herzustellen, bekannt waren.

Alle dreizehn Zeichnungen zeigen das Leben in südindischen Tempeln, sie stellen vor allem Prozessionen dar. In der vorliegenden Gruppe sieht man auf vier Zeichnungen Prozessionsbilder, die durch die Strassen getragen werden. Die Zeichnungen sind deshalb so interessant, weil sie uns eine lebendige Darstellung der Feste und der vielen Requisiten bieten, die für die Prozessionen notwendig waren.
Zu diesen Requisiten gehörten Sänften mit Polsterung, Podeste mit Tragstäben, Lampen, Sonnenschirme, Standarten, Wimpel, Fächer, Fackeln, Leuchter, Embleme der Götter, Wassertöpfe, Glocken, Trommeln und vieles mehr. TRB

82 A
Prozession zum Winterfest

Auf dieser Zeichnung sind Vorbereitungen zu einer Strassenprozession zu erkennen. Dallapiccolas Forschungen zufolge scheint diese Zeichnung eine Szene des Winterfestes Vaikuntha Ekadasi im Ranganatha-Tempel von Srirangam darzustellen[1]. Gläubige, darunter auch Kinder, nähern sich der Säulenhalle, empfangen Girlanden und bezeugen mit über den Kopf erhobenen Armen dem Gott ihre Ehrerbietung. TRB

1 Dallapiccola 2007, S. 86 f.

82 B
Prozession der göttlichen Familie

Die Priester tragen auf ihren Schultern mithilfe hölzerner Traggestelle die angekleideten und mit Girlanden geschmückten Prozessionsbronzen von Ganesha, Murukan, Shiva und Parvati (von links nach rechts). Alle Figuren stehen oder sitzen in ihren Polstern, hinter ihnen erheben sich grosse runde *prabhas*, über ihnen sind Sonnenschirme befestigt. Das Kultbild von Ganesha erscheint als Erstes – er ist der Herr der Anfänge, der den Weg bereiten muss. Dann folgt Murukan mit seinen beiden Frauen Valli und Devasena. Die gekrümmten Klingen in seinen beiden oberen Händen bezeugen sein kriegerisches Wesen. Zuletzt kommen Shiva und Parvati als grösstes Bildnis; die Göttin sitzt Shiva zur Linken. TRB

82 C

Prozession des Gottes Vishnu

In dieser Prozessionszeichnung ist Vishnu als grosser Segensbringer dargestellt. Der Gott ist vierarmig, seine untere rechte Hand formt die Geste der Wunschgewährung, die untere linke trägt die Keule. Zu den Füssen des Gottes sind zwei Kühe abgebildet, über ihm breitet ein Baum seine Zweige aus. Gläubige halten Metall-Embleme des Gottes (Rad und Muschelhorn) in die Höhe. Im Gegensatz zu den übrigen Prozessionszeichnungen dieser Gruppe bewegen sich die Figuren hier von links nach rechts. Eine der ersten Figuren wendet sich dem Kultbild zu und bläst die *nagesvaram,* das ebenso unverkennbare wie unabdingbare Musikinstrument zur Begleitung solcher Prozessionen. TRB

82 D

König Serfoji II.

Diese Zeichnung ist die ungewöhnlichste der ganzen Gruppe. Auf den ersten Blick scheint es, dass hier ein vishnuitisches Prozessionsbild durch die Strassen getragen wird, denn darauf verweisen die mitgeführten Standarten mit den Attributen Muschelhorn und Rad. Es besteht jedoch kein Zweifel daran, dass dieses Bild den letzten König von Tanjavur, Serfoji II. (1777–1832), darstellen soll. TRB

Fotonachweis

Alice Boner Foundation for Research on Fundamental Principles in Indian Art, Zürich
Abb. 16, 33–36
Asia Society Museum, New York
Lynton Gardiner: Kat. 21, 37, 45; Carl Nardeiello: Kat. 3
British Museum, London
Kat. 7, 12, 47, 77, 79, 80, 82; Abb. 11 und 12, 14
Città di Lugano, Museo delle Culture
S. Brazzola: Kat. 55, 58, 59, 63, 65, 66
Editionsarchiv Volker Michels, Offenbach am Main
Abb. 37
Government Museum, Chennai
Aditya Acharya: Kat. 11, 23, 24, 50
Jason Smith
Kat. 29, 44
The Metropolitan Museum of Art, New York
Abb. S. 75
Musée national des Arts Asiatiques – Guimet, Agence photographique de la Réunion des musées nationaux
Thierry Ollivier: Kat. 39, 52, 54, 57, 60, 61, 62, 64;
Abb. 26, 28, 29
Museum für Asiatische Kunst, Kunstsammlung Süd-, Südost- und Zentralasien, Staatliche Museen zu Berlin
Jürgen Liepe: Kat. 27, 38, 56, 76; Iris Papadopoulos: Kat. 67
Museum Rietberg Zürich
Rainer Wolfsberger: Kat. 1, 9, 10, 13, 14, 15, 17, 18, 26, 32, 33, 34, 35 A und B, 36, 41; Abb. 20–25 sowie Titelbild;
Johannes Beltz: Vorsatz, Abb. 3–10, 13, 15, S. 140 und S. 157;
Zoé Binswanger: Abb. 1 und 2
National Museum, New Delhi
Aditya Acharya: Kat. 5, 6, 19, 28, 40, 42, 46
National Portrait Gallery, Smithonian Institution
Rudolph Burckhardt: Abb. 25
Nelson-Atkins Museum of Art, Kansas City, Missouri
Jamison Miller: Kat. 25, 31, 51; E. G. Schempf: Kat. 49
Jaroslav Poncar
Abb. S. 12–13
Princeton University Library
Manuscript Division, Department of Rare Books and Special Collections: Abb. 19
Rijksmuseum, Amsterdam
Kat. 2, 22
The Royal Collection of Her Majesty Queen Elizabeth, London
Kat. 30
Sammlung Szeemann im Staatsarchiv Bellinzona
Eberhard Illner: Abb. 27
Susan L. Beningson Collection
Kat. 68, 69, 70, 71, 72, 73
Tanz Archiv Leipzig e. V.
Abb. 18, 31–33
Victoria and Albert Museum, London
Kat. 4, 43, 48
Thomas Voorter
Abb. S. 38, 39, 41, 48, 60

Glossar der Sanskrit- und Tamil-Begriffe

abhaya mudra «Habe-keine-Furcht»-Geste
alingana «Umarmung»
anjali mudra Geste des Händefaltens
arati «Lobpreis»
ardhanarishvara Shiva, der zur Hälfte eine Frau ist, androgyne Form des Gottes
asura Dämon oder Antigott, Gegenspieler der *devas*
bhakti «Liebe, Hingabe»
Bharat Mata «Mutter Indien», traditioneller Name für Indien; *Bharata* geht auf ein berühmtes Geschlecht und den gleichnamigen Ahnherrn zurück
cakra Wurfscheibe, Waffe und Attribut Vishnus
Chola eigentlich Cola, südindisches Herrschergeschlecht; regierte von 850 bis 1270; Blütezeit vom 10. bis 11. Jahrhundert
damaru beidseitige, sanduhrförmige Trommel, wichtiges Attribut Shivas
devi «Göttin», Oberbegriff für Göttinnen
Draviden Bezeichnung für die südindische Bevölkerung (Tamil Nadu, Kerala, Karnataka, Andhra Pradesh), die keine indoarische Sprachen spricht; es wird vermutet, dass dravidische Völker schon vor der Einwanderung der arischen Völker in Südindien beheimatet waren
Durga «die schwer Erreichbare», Name einer Göttin
durva *Cynodon dactylon,* in diversen Ritualen verwendetes Gras
dvarapala «Torhüter»
gajahasta «Elefantengeste»
gana Gefolgsleute Shivas
Ganesha «Herr der Heerscharen» und Anführer von Shivas Gefolge; auch Ganapati; weitere Namen sind: Vinayaka, «der Sieger», Vighneshvara, der «Herr der Hindernisse»; auf Tamilisch heisst er unter anderem Pulaiyar «der verehrte und noble Sohn»
Gauri «die Helle», einer der vielen Namen der Göttin Parvati
ghi zerlassene Butter
Harappa-Kultur Bezeichnung für eine Zivilisation, die im Industal zwischen 2300 und 1700 v. u. Z. ihre Blütezeit hatte
Indra einer der ältesten Götter im hinduistischen Pantheon, schon in den Veden erwähnt; Gott des Himmels, des Regens, Blitzes und Donners, Kriegsgott und Götterkönig
jatamukuta die zu einer Krone hochgebundenen Haare
Kailas Wohnort Shivas und Parvatis, Berg im Himalaya
kalasha Ritualgefäss
Kali Name einer Göttin, die «Grosse Göttin in ihrer schrecklichen Gestalt»
kapala Schädelschale
Karttikeya siehe Murukan
Kirtimukha «Ruhmesgesicht», Fabelwesen
makara krokodilartiges Fabelwesen
mantra rituelle Formel, heilige Silbe
mriga Antilope, oft als Reh oder Gazelle übersetzt
mudra «Siegel, Zeichen», in der bildenden und darstellenden Kunst Hand- und Fingerhaltung mit jeweils spezieller Bedeutung
Murukan tamilischer Kriegsgott und Sohn Shivas; Murukan vereint verschiedene, ursprünglich separate Traditionen in sich, was seine vielen Namen andeuten: Die bekanntesten sind Karttikeya, Kumara, Skanda oder Subrahmanya. Der Übersichtlichkeit halber haben wir uns für die in Südindien geläufige Benennung Murukan entschieden
murti «fester Körper, feste Gestalt, Bild», Darstellung einer Gottheit
nagasvaram südindisches Blasinstrument
Nayanar Tamilisch «Führer», shivaitischer Heiliger
Neun Planeten In der indischen Astronomie und Astrologie gibt es sieben sichtbare Planeten: Surya (Sonne), Soma (Mond), Budha (Merkur), Shukra (Venus), Mangala (Mars), Brihispati (Jupiter) und Shani (Saturn). Zusammen mit Rahu und Ketu, zwei unsichtbare dämonische (weil Eklipsen verursachende) Gestirne, bilden sie eine Neunergruppe.
Om mystische Silbe, die das Universum enthält
Pandya Herrschergeschlecht aus Südindien, regierte vom 6. bis 14. Jahrhundert
Pallava Königsdynastie, regierte zwischen 550 und 894 in Südindien, als ihre Blütezeit gilt das 7. Jahrhundert
Parvati «Tochter der Berge (d. h. des Himalaya)»; als Shivas *shakti* tritt sie mehrfach in Erscheinung, so als Sati, Uma oder Shivakamasundari («die, auf die sich Shivas Wollust richtet»)
panca amrita Ambrosia, die aus fünf heiligen Flüssigkeiten besteht: Milch, Honig, Joghurt, ausgelassene Butter und Zucker
parashu Axt, Waffe und Attribut Shivas
prabha auch *prabhavali,* «Nimbus»
pradakshina rituelle Umwandlung eines Kultbildes
prasada «Gunst» oder «Gnade», bezeichnet die den Göttern geopferte und nach der Vollendung des Rituals zurückerhaltene Speise
puja bedeutet in Sanskrit die «Verehrung» einer beliebigen Gottheit oder gottähnlichen Persönlichkeit
Purana «altes Lied» und bezeichnet epische Werke der Sanskrit-Literatur mit mythologischem Inhalt
purohita brahmanischer Priester
ratha Prozessionswagen
rangoli gestreute Bodenbilder
rishi Weiser, vedischer Seher, Sänger
samhara «Auflösung, Vergehen»
shakti «Kraft, Energie» der Göttinnen, oft auch personifiziert

shanka Muschelhorn, Ritualinstrument und Attribut Vishnus

shrishti «Schöpfung»

svayambhu «durch sich selbst seiend», bezeichnet einen Ganesha, der weder von einem Künstler gemacht noch von einem Priester installiert wurde

tribhanga dreifach gebogene Haltung des Körpers

trishul Dreizack, Waffe und Attribut Shivas

Uma Shivas Partnerin, siehe Parvati

umasahita «zusammen mit Uma»

upadesha mudra Geste des Unterrichtens, siehe auch *vyakhyana mudra*

utsava «Unternehmung, Fest»

utsava murti Prozessionsbild

varada mudra Geste der Wunschgewährung und der Gnade, siehe *mudra*

varna «Farbe», bezeichnet eigentlich vier soziale Kategorien: Brahmanen, Kshatriyas, Vaishyas und Shudras, wird aber oft als «Kaste» übersetzt

Veda «Wissen»; die Veden sind heilige, offenbarte Texte, die über viele Jahrhunderte hinweg mündlich tradiert wurden

vyakhyana mudra Geste des Unterrichtens

yajnopavita heilige Schnur, die die Knaben der «höheren» Varnas zur Initiation erhalten

yuga bezeichnet Zeitalter in der indischen Kosmologie, die zyklisch ist; jeder Schöpfung folgt ein allmählicher Niedergang, der sich über vier *yugas* hinweg zieht; nach dem letzten, dem *kaliyuga,* folgt der Neuanfang

Bibliografie

Abrahams, Ruth, «Uday Shankar: The Early Years, 1900–1938», in: *Dance Chronicle,* 30, 2007, S. 363–426.

Aitken, Molly Emma, *When Gold Blossoms: Indian Jewelry from the Susan L. Beningson Collection,* New York: Asia Society und Philip Wilson Publishers, 2004.

Auboyer, Jeannine, *Sri Ranganathaswami: A Temple of Vishnu in Srirangam,* Srirangam: Arankanatasvami Tirukkoyil, 2004.

Bachofer, L., «Der tanzende Shiva», in: *Die Kunst,* Bd. 32, Nr. 12, 1931, S. 368 ff.

Balasubrahmanyam, S. R., *Early Chola Art,* London: Asia Publishing House, 1966.

Balme, Christopher B. und Claudia Teibler, «Orient an der Wolga», in: Jeschke, Berger und Zeidler 1997, S. 113–133.

Banerji, Projesh, *Nataraja: The Dancing God,* New Delhi: Cosmo Publications, 1985.

Banerji, Projesh, *Uday Shankar and His Art,* Delhi: B. R. Publishing Corporation, 1982.

Barone, Elisabetta, Matthias Riedl und Alexandra Tischel (Hrsg.), *Pioniere, Poeten, Professoren,* Eranos, Neue Folge, Bd. 11, Würzburg: Verlag Königshausen und Neumann GmbH, 2004.

Barrett, Douglas, *Early Cola Bronzes,* Bombay: Bhulabhai Memorial Institute, 1965.

Barrett, Douglas, «The Dancing Siva in Early South Indian Art», in: *Proceedings of the British Academy,* Bd. LXII, 1976, S. 1–27.

Barrett, Douglas, «The Chidambaram Nataraja», in: *Chhavi 2. Rai Krishnadasa Felicitation Volume,* Varanasi: Bharat Kala Bhavan, 1981, S. 15–20.

Barrett, Douglas, «A Group of Bronzes of the Late Cola Period», in: *Oriental Art,* Nr. 4, Winter 1983/84, S. 360–367.

Basham, A. L., *The Wonder That Was India: A Survey of the History and Culture of the Indian Sub-continent Before the Coming of the Muslims,* London: Sidgwick and Jackson, 1967.

Bäumer, Bettina (Hrsg.), *Rupa Pratirupa: Alice Boner Commemoration Volume,* New Delhi: Biblia Impex, 1982.

Bäumer, Bettina, «Einblicke in die indische Kunst: Das wissenschaftliche Werk von Alice Boner», in: Boner und Fischer 1982, S. 71 ff.

Beck, Elisabeth, *Sri Aurobindo on Indian Art: Selections From His Writings With Photographs,* Ahmedabad: Mapin Publishing, 1999 (1972).

Bell, Detlef, *Leben und Werk des Freiherrn Eduard von der Heydt,* unpublizierte Magisterarbeit, Bochum: Fakultät für Geschichtswissenschaft, Ruhr-Universität Bochum, 1993.

Bellentani, Giulia Renata Maria, «Die Wagen der Götter» in: Zimmermann, Britschgi und Bellentani 2008, S. 74–86.

Beltz, Johannes, Ganesha: *Der Gott mit dem Elefantenkopf,* Zürich: Museum Rietberg, 2003.

Bhattacharya, Gouriswan, «Nandi and Vrsabha», in: *Zeitschrift der Deutschen Morgenländischen Gesellschaft,* Beilage III, 2 (19. Deutscher Orientalistentag), 1977, S. 1545–1567.

Boccali, G. S. Piani und S. Saverio, *Le letterature dell'India,* Turin: UTET Libreria, 2000.

Bodmer, Hans-Caspar, Ottmar Holdenrieder und Klaus Seeland, *Monte Verità: Landschaft. Kunst, Geschichte,* Frauenfeld, Stuttgart, Wien: Verlag Huber, 2000.

Böhme, Fritz, *Rudolf von Laban und die Entstehung des modernen Tanzdramas,* hrsg. von Marina Dafova, Berlin: Edition Hentrich, 1996.

Boner, Alice, *Principles of Compositions in Hindu Sculpture: Cave Temple Period,* Leiden: Brill, 1962.

Boner, Alice, «Zur Komposition des Shiva Nataraja im Museum Rietberg», in: *Artibus Asiae,* Bd. 27, Nr. 4, 1964/65, S. 301–310.

Boner, Alice, «Der symbolische Aspekt der Form», in: Boner und Fischer 1982, S. 101–106.

Boner, Alice, «Die Entstehung des Tryptichons», in: Boner und Fischer 1982, S. 64–67.

Boner, Alice, *Indien, mein Indien: Tagebuch einer Reise,* Zürich: Werner Classen Verlag, 1984.

Boner, Georgette und Eberhard Fischer, «Einleitende Worte», in: Boner 1984, S. 6 ff.

Boner, Georgette und Eberhard Fischer (Hrsg.), *Alice Boner und die Kunst Indiens,* Zürich, Museum Rietberg, 1982.

Boner, Georgette, Luitgard Soni und Jayandra Soni (Hrsg.), *Alice Boner Diaries, India 1934–1967,* New Delhi: Motilal Banarsidass Publishers, 1993.

Bunce, Fredrick W., *Mudras in Buddhist and Hindu Practices: An Iconographic Consideration,* New Delhi: D. K. Printworld, 2005.

Buol-Wischenau, Hilde Baronin von, «Die Tugenden Asiens, Gespräch mit dem Ostasienforscher Baron von der Heydt», in: *Neues Wiener Abendblatt,* 13. November 1937, Nr. 313.

Cali, A., «Richesses de l'Inde», in: *Lectures du Foyer,* Lausanne, 30. Oktobre 1937, Bd. 26, Nr. 44, S. 14.

Caminathaiyar, U.V. (Hrsg.), *Cilappatikaram,* Tanjavur: Tamil Palkalai Kalakam, 1985.

Capra, Fritjof, *The Tao of Physics,* London: Fontana, 1976.

Cataciva, Cettiyar (Hrsg.), Tevaram *(Tirunavukkaracu, Tirunanacampantar),* Tirunelveli: Caivacittanta Nurpatippu, 1973.

Chandramouli, C., *Arts and Crafts of Tamil Nadu: Art Plates of Thanjavur and Metal Icons of Swamimalai,* Chennai: Census of India, 2004.

Cohn, William, *Katalog zur Sonderausstellung «Indische Plastik»,* Zürich: Kunstgewerbemuseum der Stadt Zürich, [o. J.].

Collins, Charles Dillard, *The Iconography and Ritual of Shiva at Elephanta,* New York: State University of New York Press, 1988.

Coomaraswamy, A. K., «The Dance of Shiva», in: *The Dance of Shiva,* Kingsport: Kingsport Press, 1952 (1948), S. 83–95.

Coomaraswamy, A.K., *Catalogue of the Indian Collections in the Museum of Fine Arts,* Boston: Museum of Fine Arts, 1923.

Coomaraswamy, A.K., *The Transformation of Nature in Art,* New York: Dover Publications 1956 (1934).

Coomaraswamy, Rama P., *Ananda K. Coomaraswamy: Bibliography and index,* Berwick-upon-Tweed: Prologos Books, 1988.

Coorlawala, Uttara, «Ruth St. Denis and India's Dance Renaissance», in: *Dance Chronicle,* Bd. 15, Nr. 2, 1999, S. 123–152.

Cupparayanayakar, Cu (Hrsg.), *Periyapuranam,* Madras: India Press, 1893.

Cuppiramnaiya Pillai, K. (Hrsg.), *Tevaram, Tirunavukkaracu cuvamikal,* Tiruccentur: Shri Kumaraguruparan Cankam, 1976.

Dallapiccola, A.L., *Indian Art in Detail,* London: British Museum Press, 2007.

Dallapiccola, A.L., *Catalogue of the South Indian Paintings in the Collection of the British Museum,* London: British Museum Press, erscheint in Kürze.

Darian Steven G., *The Ganges in Myth and History,* New Delhi: Motilal Banarsidass Publishers, 2001 (1978).

Davis, Richard, *Lives of Indian Images,* Princeton: Princeton University Press, 1999.

Décoret Ahiha, Anne, *Les danses exotiques en France 1880–1940,* Paris: Centre National de la danse, 2004.

Dehejia, Vidya (Hrsg.), *The Sensuous and the Sacred: Chola Bronzes from South India,* New York und Seattle: American Federation of Arts und University of Washington Press, 2002.

Dehejia, Vidya, *Devi the Great Goddess: Female Divinity in South Asian Art,* Washington: Arthur M. Sackler Gallery, Smithsonian Institution, 1999.

Dehejia, Vidya, *Art of the Imperial Cholas,* New York: Columbia University Press, 1990.

Dehejia, Vidya, *Slaves of the Lord: The Path of the Tamil Saints,* New Delhi: Munshiram Manoharlal 1988.

Dehejia, Vidya, «Iconographic Transference Between Krishna and Three Saiva Saints», in: John Guy (Hrsg.), *Indian Art and Connoisseurship,* New Jersey und Ahmedabad: Indira Gandhi Centre for the Arts und Mapin Publishing, 1985, S. 140–149.

Dessigane, R., Pattabhiramin, P.Z., Filliozat, J., *La légende des yeux de Civa à Madurai d'après les textes et les peintures,* 2 Bände, Pondichéry: Institut Français d'Indologie, 1960.

Dikshitar, Ramalinga, *A Study of Chidambaram and Its Shrine As Recorded in Sanskrit Literature,* unpublizierte MA Thesis, Annamalai: Annamalai University, Department of Sanskrit, 1965.

Donaldson, Thomas, «Doorframes on the Earliest Orissan Temples», in: *Artibus Asiae,* Bd. 38, Nr. 2/3, 1976, S. 189.

Doniger, Wendy O'Flaherty, *Ascetism and Eroticism in the Mythology of Shiva,* London: Oxford University Press, 1973.

Dörr, Evelyn, *Rudolf Laban: Das choreographische Theater,* erste vollständige Ausgabe des Labanschen Werkes, Norderstedt: Books on Demand, 2004.

Dubois, Abbé Jean Antoine, *Leben und Riten der Inder: Kastenwesen und Hinduglaube in Südindien um 1800,* Bielefeld: Reise Know-how Verlag Peter Rump, 2002 (frz. Originalausgabe 1825).

Duncan, Isadora, *Memoiren,* Zürich, Leipzig, Wien: Amalthea Verlag, 1928.

Duvinage, Fabrice, *Götterwelt Indiens: Traditionelle Bronzekunst,* Hildesheim: Roemer- und Pelizaeus-Museum, 1997.

Dye, Joseph M. III., «Manikkavacaka: He Whose Utterances Are Like Rubies», in: *Arts in Virginia,* Bd. 21, Nr. 2 und 3, 1982, S. 2f.

Dye, Joseph M. III, *The Arts of India in the Virginia Museum of Fine Arts,* London: Museum of Fine Arts und Philip Wilson Publishers, 2001.

Fehlemann, Sabine (Hrsg.), *Die Von der Heydts: Bankiers, Christen und Mäzene,* Wuppertal: Müller + Busmann, 2001.

Fell McDermott, Rachel und Jeffrey J. Kripal (Hrsg.), *Encountrering Kali: In the Margins, at the Centre, in the West,* Delhi: Motilal Banarsidass, 2005.

Freschi, Renzo, *Sculture lignee indiane,* Mailand: Mandala, 1980.

Frenz, Albrecht und P. Nagarajan, *Das Tiruvasagam von Manikkavasagar,* aus dem Tamil übersetzt, Karaikudi: The South India Press, 1977.

Gaston, Anne-Marie, *Shiva in Dance, Myth and Iconography,* Delhi: Oxford University Press, 1985 (1982).

Gerow, Edwin, «Indian Aesthetics, a Philosophical Survey», in: *A Companion to World Philosophies,* hrsg. von E. Deutsch und R. Bontekoe, Malden: Blackwell, 1997, S. 319 ff.

Ghosh, Manomohan. (Hrsg.) *Natyashastra,* Calcutta: Granthalaya, 1967 (1951).

Goel, Sanjay and Saskia Kersenboom, interaktive CD-ROM, New Delhi: Indira Gandhi National Centre for the Arts, 1998.

Goethe, Johann Wolfgang, *Poetische Werke, Gedichte und Singspiele II, Gedichte, Nachlese und Nachlass,* Berliner Ausgabe, Berlin: Aufbau Verlag, 1980.

Gopal, Ram, Serosh Dadachanji, *Indian Dancing,* London: Phoenix House, 1951.

Gopinatha Rao, T.A., *Elements of Hindu Iconography,* Madras: The Law Printing House 1914, (Neuauflage bei D.K. Publishers New Delhi 1999).

Gravely, F.H. und T.N. Ramachandran, *Catalogue of the South Indian Hindu Metal Images in the Madras Government Museum,* Bulletin of the Madras Government Museum, New Series, General Section, Bd. 1, Teil 2, Madras: Government of Tamil Nadu, 2002.

Guha-Thakurta, Tapatit, «The Endangered Yakshi: Careers of an Ancient Art Object in Modern India», in: Partah Chatterjee und Anjan Ghosh (Hrsg.), *History and the Present,* New Delhi, Permanent Black, 2002, S. 71–107.

Gupta, C.B. und Mrinalini Mani, *Thanjavur Paintings, Materials, Techniques and Conservation,* New Delhi: National Museum, 2005.

Guy, John, «Indian Dance in the Temple Context», in: *Dancing to the Flute: Music and Dance in Indian Art,* hrsg. von Pratapaditya Pal, Sydney: Art Gallery of South Wales, 1997, S. 26–37.

Guy, John, «The Nataraja Murti and Chidambaram: Genesis of a Cult Image», in: Michell und Nanda 2004, S. 70–81.

Guy, John, «Parading the Gods: Bronze Devotional Images of Chola South India», in: Royal Academy of Arts (Hrsg.), *Chola: Sacred Bronzes of Southern India,* London: Royal Academy Publications, 2006, S. 12–25.

Guy, John, *Indian Temple Sculpture,* Chennai: Westland Books, 2007.

Guy, John (Hrsg.), *La escultura en los templos indios: El arte de la devoción,* Madrid: Fundación la Caixa, 2007.

Halbfass, Wilhelm, *India and Europe: An Essay in Philosophical Understanding,* Delhi: Motilal Banarsidass Publishers, 1990 (1988).

Hall, Kenneth R., (Hrsg.), *Structure and Society in Early South India: Essays in Honour of Noboru Karashima,* New Delhi: Oxford University Press, 2004 (2001).

Hall, Kenneth R., (Hrsg.), «Merchants, Rulers, and Priests in an Early South Indian Sacred Centre: Cidambaram in the Age of the Colas», in: Hall 2004, S. 85f.

Handelman, Don and Shulman, David, *God Inside Out: Siva's Game of Dice,* Oxford: Oxford University Press, 1997.

Harman, William P. und Selva J. Raj, (Hrsg.), *Dealing with Deities: The Ritual Vow in South Asia,* New York: State University of New York Press, 2006.

Harp Allen, Matthew, «Rewriting the script for South Indian Dance», in: *The Drama Review,* Bd. 41, Nr. 3, 1997, S. 63–97.

Hesse, Hermann, *Aus Indien: Aufzeichnungen, Tagebücher, Gedichte, Betrachtungen und Erzählungen,* Frankfurt a. M.: Suhrkamp Verlag, 1980.

Hesse, Hermann, *Das Glasperlenspiel,* Zürich: Fretz und Wasmuth Verlag, 1956 (1943).

Heydt, Eduard von der, «L'art aux Indes», in: *Revue des Arts,* Mai 1946, S. 4–6.

Heydt, Eduard von der, «Ich sammle», in: *Inspiré: Mode, Literatur, Kunst,* August 1950, Jahrgang 2, Heft 16 (Nachdruck in: Landolt 1952, S. 27–31).

Heydt, Eduard von der und Werner Rheinbaden, *Auf dem Monte Verità: Erinnerungen und Gedanken über Menschen, Kunst und Politik,* Zürich: Atlantis Verlag, 1958.

Hiltebeitel, Alf, *The Cult of Draupadi,* Band 1, Chicago: University of Chicago Press, 1988.

Hiltebeitel, Alf, *The Cult of Draupadi: On Hindu Ritual and the Goddess,* Band 2, Chicago: Chicago University Press, 1991.

Huizinga, Johan, *Homo Ludens: A Study of the Play Element in Culture,* Boston: Beacon, 1955; deutsche Ausgabe: Homo ludens: *Vom Ursprung der Kultur im Spiel,* Reinbek: Rowohlt Verlag, 1987.

Irattinanayakar, B. (Hrsg.), *Tiruvilaiyatarpuranam,* Chennai: Tirumakal Vilaca Accam, [o. J.].

Jagadisa Ayyar, P. V., *South Indian Festivities,* Madras: Higgin Bothams, 1921.

Jeschke, Claudia, Ursel Berger und Birgit Zeidler (Hrsg.), *Spiegelungen: Die Ballets Russes und die Künste,* Berlin: Verlag Vorwerk 8, 1997.

Jouveau-Dubreuil, G., *Archéologie du Sud de l'Inde,* Annales du Musée Guimet, Bibliothèque d'études, 26–27, 2 Bände, Paris: Librairie Paul Geuthner, 1914.

Jouveau du Breuil, Yvain, «Gabriel Jouveau Dubreuil, archéologue du sud de l'Inde», in: *G. H. C.,* Nr. 77, Dezember 1995, S. 1500 ff.

Kailasapathy, K., *Tamil Heroic Poetry,* Oxford: Oxford University Press, 1968.

Kaimal, Padma, «Shiva Nataraja: Shifting Meanings of an Icon», in: *Art Bulletin* (The College Art Associations), Bd. 81, Nr. 3, 1999, S. 390–419.

Kannan, R., *Manual on the Bronzes in the Government Museum, Chennai. A Typological and Descriptive Account of Bronzes Displayed in the Re-organized Bronze Gallery,* General Section, Bd. 17, Nr. 2., Chennai: Government Museum, 2003,

Kar, Chintamoni, *Indian Metal Sculpture,* London: Alec Tiranti, 1952.

Karavelane (Hrsg), *Chants devotionels tamouls de Karaikalammaiyar,* Pondichéry: Institut Français d'Indologie, 1982.

Kersenboom, Saskia, *Nityasumangali: Devadasi Tradition in South India,* Delhi: Motilal Banarsidass, 2002 (1987).

Kersenboom, Saskia, «Virali, Possible Sources of the Devadasi Tradition in the Tamil Bardic Period», in: *Journal of Tamil Studies,* 1981, Nr. 19, Madras, S. 19–41.

Kersenboom, Saskia und Thomas Voorter, *Darshanam: Eye to Eye with Goddess Kamakshi,* interakive DVD, Ungarn: Paramparai Foundation, 2008.

Kersenboom, Saskia und Thomas Voorter, *Arulin Aru: River of Grace,* unpublizierte DVD, 2008.

Khandalavala, Karl, *«Four unpublished South Indian Bronzes»,* in: John Guy (Hrsg.), *Indian Art and Connoisseurship,* New Jersey und Ahmedabad: Indira Gandhi Centre for the Arts und Mapin Publishing, 1995, S. 130–139.

King, Richard, *Orientalism and Religion: Post Colonial Theory, India and «the Mystic East»,* New Delhi: Oxford University Press, 1999.

Kinsley, David, *Die indischen Göttinnen,* Frankfurt a. M.: Insel Verlag, 2000 (1990).

Koller, John M., *Oriental Philosophies,* New York: Charles Scribner's Sons, 1985 (1970).

Kosalaraman, S. (Hrsg.), *The Art Gallery Thanjavur,* Thanjavur: The Art Gallery, 2002 (1995).

Kramrisch, Stella, *The Presence of Shiva,* Princeton: Princeton University, 1981.

Kramrisch, Stella, *Manifestations of Shiva,* Philadelphia: Philadelphia Museum of Art, 1981.

Kulke, Hermann, *Cidambaramahatmya: Eine Untersuchung der religionsgeschichtlichen und historischen Hintergründe für die Entstehung der Tradition der südindischen Tempelstadt,* Wiesbaden: Harrassowitz, 1970.

Kulke, Hermann und Dietmar Rothermund, *Geschichte Indiens: Von der Induskultur bis heute,* München: C. H. Beck, 2006 (1982).

Knott, Kim, *Der Hinduismus: Eine kurze Einführung,* Stuttgart: Reclam, 2000.

Landmann, Robert, *Ascona – Monte Verità: Auf der Suche nach dem Paradies,* Frauenfeld, Wien, Stuttgart: Verlag Huber, 2000.

Landolt, Emil u. a., *Eduard von der Heydt zum 70. Geburtstag,* Schriften des Museums Rietberg Zürich Nr. 2, Zürich: Kunstgewerbeschule Emil Rüegg, 1952.

Leidy, Denise Patry, *Treasures of Asian Art: The Asia Society's Mr. and Mrs. John D. Rockefeller 3rd Collection,* The Asia Society Galleries, New York, London, Paris: New York and Abbeville Press Publishers, 1994.

Liebert, Gosta, *Iconographic Dictionary of the Indian Religions,* New Delhi: Sri Satguru Publications, 1986 (1976).

Lohuizen-de Leeuw, J. E. van, *Indische Skulpturen der Sammlung Eduard von der Heydt,* Zürich: Museum Rietberg, 1994 (1964).

Loud, John A., *Rituals of Chidambaram,* Chennai: Institute of Asian Studies, 2004.

Mallebrein, Cornelia, *Skulpturen aus Indien: Bedeutung und Form,* München: Staatliches Museum für Völkerkunde, 1984.

Menon, Ramesh, Shiva: *The Shiva Purana Retold,* New Delhi: Rupa, 2006.

Mertens, Annemarie, *Der Daksamythus in der episch-puranischen Literatur: Beobachtungen zur religionsgeschichtlichen Entwicklung des Gottes Rudra-Ziva im Hinduismus,* Beiträge zur Indologie, Bd. 29, Wiesbaden: Harrassowitz, 1998.

Meyyappan, S., *Chidambaram Temple,* Chennai: Manivasagar Pathippagam, 2005 (1998).

Michell, George, «Chariot Panels from Tamil Nadu», in: Michell G. (Hrsg.), *Living Wood: Sculptural Traditions of Southern India,* Bombay: Marg Publications, 1992, S. 29–52.

Michels, Volker (Hrsg.), *Blick nach dem Fernen Osten: Erzählungen, Legenden, Gedichte und Betrachtungen,* Jubiläumsprogramm zu Hermann Hesses 125. Geburtstag, Frankfurt a. M.: Suhrkamp Verlag, 2002.

Mitterwallner, Gritli von, «Evolution of the Linga», in: Michael M. Meister, *Discourses on Shiva: Proceedings of a Symposium on the Nature of Religious Imagery,* Philadelphia: University of Pennsylvania Pres, 1984, S. 12–31.

Müller, Hedwig, *Mary Wigman: Leben und Werk der grossen Tänzerin,* Weinheim, Berlin: Quadriga, 1986.

Mutaliyar, Arunajala (Hrsg.), *Tiruvilaiyatal puranam,* Chennai: B. Irattina Nayakar, [o. J.].

Nachiappan, C., *Thanjavur Paintings in Koviloor,* Chennai: Kalakshetra Publications, 2004.

Nagarajan, Munaivar Kasturi, *Tirukkurralatalavaralaru,* Tiruvavatuturai: Tiruvavatuturai Atinam, 1996.

Nagaswamy, R., *Timeless Delight: South Indian Bronzes in the Collection of the Sarabhai Foundation,* Ahmedabad: Sarabhai Foundation, 2006.

Nagaswamy, R. (Hrsg.), *Foundations of Indian Art,* Chennai: Tamil Arts Academy, 2002.

Nagaswamy, R., «On dating South Indian Bronzes», in: John Guy (Hrsg.), *Indian Art and Connoisseurship,* New Jersey und Ahmedabad: Indira Gandhi Centre for the Arts / Mapin Publishing, 1985, S. 100–129.

Nagaswamy, R., *Masterpieces of Early South Indian Bronzes,* New Delhi: National Museum, 1983.

Nanda, Vivek und Michell George (Hrsg.), *Chidambaram: Home of Nataraja,* Mumbai: Marg Publications, 2004,

Narayanaswami, V., *Temples of Tamil Nadu: Stones of Eloquence,* Chennai, Manivasagar Publications, 2001.

Narayanaswamy, V., *Kanchi: The City of Temples,* Chennai: Manivasagar Publications, 1999.

Narayanaswamy, S., (Hrsg.), *Natarasa Peruman,* Tiruvavatuturai: Thiruvavadurthurai Adheenam Sarasvathi Mahal Library and Research Centre, 2001.

Nataracan, P. R. (Hrsg.), *7 – am Tirumurai: Cuntaramurtti cuvamikal Tevaram,* Tirucci: Ilatcumi Nilaiyam, 1996.

Natarajan, B., *Tillai and Nataraja,* Madras: Mudgala Trust, 1994.

Natarajan, B., *The City of the Cosmic Dancer,* New Delhi: Orient Longman, 1974.

Natarajan, B. «Chidambara Rahasya: The ‹Secret› of Chidambaram», in: *Marg,* Bd. 55, Nr. 4, Juni 2004, S. 18–23.

Nilakanta Sastri, K. A., *A History of South India: From Prehistoric Times to the Fall of Vijayanagar,* Madras: Oxford University Press, 1955.

Ochaim, Brygida und Claudia Balk, *Varieté-Tänzerinnen um 1900: Vom Sinnenrausch zur Tanzmoderne,* Frankfurt a. M., Basel: Stroemfeld, 1998.

Padmanabhan, Seetha (Hrsg.), *Shriprashnasamhita,* Tirupati: Kendriya Sanskrit Vidyapitha, 1969.

Pal, Pratapaditya, *Asian Art at the Norton Simon Museum: Art from Sri Lanka and Southeast Asia,* New Haven: Yale University Press, 2004.

Pal, Pratapaditya, «The Blessed and the Banal: Shiva Nataraja in the 20th Century», in: Nanda und Michell 2004, S. 128–137.

Parlier-Renault, Edith, *Temples de l'Inde méridionale (Vie – VIIIe siècles): La mise en scène des mythes,* Paris: Presse de l'Université de la Sorbonne, 2006.

Plaeschke, Herbert und Ingeborg, *Hinduistische Kunst,* Leipzig: Koehler und Amelang, 1978.

Pechilis Prentiss, Karen, «The Story of Nandanar. Contesting the Order of Things», in: Zelliot und Mokashi-Punekar (Hrsg.) 2005, S. 95–107.

Oberlies, Thomas, *Hinduismus,* Frankfurt am Main: S. Fischer Verlag, 2008.

Pattanaik, Devdutt, *Shiva: An Introduction,* Mumbai: Vakils, Feffer and Simons, 2003 (1997).

Piano, Stefano, *Il mito del Gange: Ganga-Mahatmya,* Turin: Promolibri, 1990.

Pope, G.U. (Hrsg.), *The Tiruvacagam or Sacred Utterances of the Tamil Saint and Sage Manikkavacagar,* Oxford: Clarendon Press, 1900.

Rahman, Sukanya, *Dancing in the Family: An Unconventional Memoir of Three Women,* New Delhi: Rupa, 2004.

Ramanujan, A. K., *The Interior Landscape: Love Poems from a Classical Tamil Anthology,* Bloomington: Indiana University Press, 1967.

Régnier, R. H. «Au musée national des Arts Asiatiques Guimet: A propos d'une reproduction à échelle réduite d'un char processionnel de l'Inde du Sud», in: *Le buffle dans le labyrinthe: Hommage à Paul Lévy,* I. Vecteurs du sacré en Asie du Sud et du Sud-Est, Eurasie, Nr. 2, Paris: L'Harmattan, 1992, S. 85–112.

Reiniche, Marie-Louise, *Les dieux et les hommes: Etude des cultes d'un village du Tirunelveli Inde du Sud,* Paris: Mouton, 1979.

Rodin, Auguste, «La danse de Civa», in: *Ars Asiatica,* études et documents publiés sous la direction de Victor Goloubew, Bd. 3, *Sculptures Civaites,* Brüssel: Librairie nationale d'art et d'histoire, 1921, S. 9–13.

Roland, Romain, «Foreword», in: Coomaraswamy 1952, S. 5–11.

Rosenbaum-Kroeber, Sybille, «Was ist Eranos und wer war Olga Fröbe-Kapteyn?», in: Szeemann 1980, S. 117 ff.

Rotzler, Willy, «Der Baron auf dem Monte Verità: Kleines Lebensbild von Eduard von der Heydt», in: Szeemann 1980, S. 99–105.

Said, Edward. W., *Orientalism: Western Conceptions of the Orient,* London: Penguin Books, 1991 (1978).

Sarma, Kandaswami, E. M. (Hrsg.), *Kumaratantra,* Madras: The South Indian Archaka Association, 1974.

Satagopan, K. S., «Breathing life into Idols», in: *The New Indian Express,* Tiruchy, 6. März 2004.

Scheurleer, Pauline L., «Katalogeintrag zu Nr. 17: Shiva Nataraja», in: *Bulletin van het Rijksmuseum,* Jahrgang 31, 1983, Nr. 3, S. 215 f.

Schibli, Sigfrid, *Alexander Skrjabin und seine Musik: Grenzüberschreitungen eines poetischen Geistes,* München und Zürich: R. Piper Verlag, 1983.

Schomerus, Hilko Wiardo, *Saiva Siddhanta: An Indian School of Mystical Thought,* ins Englische übersetzt von Mary Law, hrsg. von Humphrey Palmer, New Delhi: Motilal Banarsidass, 2000.

Schomerus, Hilko Wiardo (Übers.), *Die Hymnen des Manika-Vasagar (Tiruvasaga),* aus dem Tamil übersetzt, Texte zur Gottesmystik des Hinduismus, Bd. 1, Religiöse Stimmen der Völker, Jena: Eugen Diederichs, 1923.

Schomerus, Hilko Wiardo, *Sivaitische Heiligenlegenden,* aus dem Tamil übersetzt, Texte zur Gottesmystik des Hinduismus, Bd. 2, Religiöse Stimmen der Völker, Jena: Eugen Diederichs, 1925.

Schwab, Andreas, *Monte Verità – Sanatorium der Sehsucht,* Zürich: Orell Füssli, 2003.

Selby, Ann Martha and Indira Vishwanathan Peterson (Hrsg.), *Tamil Geographies: Cultural Constructions of Space and Place in South India,* New York: State University of New York Press, 2008.

Seeland, Klaus, «Der Monte Verità und die Kultur Asiens», in: Bodmer, Holdenrieder und Seeland 2000, S. 105–125.

Shanmugham, N., *Sri Jambukeswarar Akilandeswari Temple,* Tiruchirapalli: Thiruvanaikoil, 2003 (1984).

Shipman, Pat, *Femme Fatale, Love, Lies, and the Unknown Life of Mata Hari,* New York: HarperCollins, 2007.

Shulman, D. D., *Tamil Temple Myths: Sacrifice and Divine Marriage in the South Indian Shaiva Tradition,* Princeton: Princeton University Press, 1980.

Sivaramamurti, C., *Nataraja in Art: Thought, and Literature,* New Delhi: National Museum, 1974.

Sivaramamurti, C., *South Indian Bronzes,* New Delhi: Lalit Kala Akademi, 1963.

Sivaraman, Krishna (Hrsg.), *Vedas Through Vedanta,* New Delhi: Motilal Banarsidass, 2003 (1995).

Smith, David, *The Dance of Siva: Religion, Art and Poetry in South India,* Cambridge: Cambridge University Press, 1996.

Smith, David, «The dance of Shiva and the imagination», in: Anna Liberia Dallapiccola (Hrsg.), *Shastric Traditions in India Arts,* Stuttgart: Steiner Verlag, 1989, S. 313–332.

Sonnerat, Pierre, *Voyage aux Indes orientales et à la Chine,* Paris: Froulé, 1782.

Srinivasan, Sharada, «Shiva as ‹Cosmic Dancer›: On Pallava Origins for the Nataraja Bronze», in: *World Archaeology,* Bd. 36, Nr. 3, 2004, S. 432–450.

Srinivasan, Sharada, «The Art and Science of Chola Bronzes», in: *Orientations,* Bd. 37, Nr. 8, November / Dezember 2006, S. 46–54.

Stamm, Rainer, «Eduard von der Heydts Sammlungen aussereuropäischer Kunst», in: Sabine Fehlemann (Hrsg.), *Asien, Afrika, Amerika und Ozeanien: Eduard von der Heydt als Sammler aussereuropäischer Kunst,* Wuppertal 2002, S. 9–19.

Stutley, Margaret und James Stutley, *A Dictionary of Hinduism: Its Mythology, Folklore and Development 1500 BC – AD 1500,* New Delhi: Munshiram Manoharlal, 2003 (1985).

Szeemann, Harald (Hrsg.), *Monte Verità: Berg der Wahrheit,* München: Villa Stuck, 1980.

Tarapor, Mahrukh, «A Note on Chola Bronzes», in: *Apollo,* November 1983, S. 408–415.

Varatarajan, G. (Hrsg.) *Tirumantiram,* Chennai: Palaniyappa Piratars, 1985.

Viennot, Odette, *Les divinités fluviales Ganga et Yamuna aux portes des sanctuaires de l'Inde: Essai d'évolution d'un thème décoratif,* Paris: Presses Universitaires de France, 1964.

Vincentnathan, Lynn, «Nandanar: Untouchable Saint and Caste Hindu Anomaly», in: Zelliot und Mokashi-Punekar 2005, S. 109–119.

Vishwanathan Peterson, Indira und Davesh Soneji (Hrsg.), *Performing Pasts: Reinventing the Arts in Modern South India,* New Delhi: Oxford University Press, 2008.

Vishwanathan Peterson, Indira und Davesh Soneji, «Introduction», in: Vishwanathan Peterson und Soneji 2008, S. 1–40.

Viswanathan Peterson, Indira, «Chidambaram and the Dance of Shiva in South Indian Myth and Poetry», in: Nanda und Michell 2004, S. 8–17.

Viswanathan Peterson, Indira, *Poems to Siva: The Hymns of the Tamil Saints,* Princeton: Princeton University Press, 1989.

Wangu, Madhu Bazaz, *Images of Indian Goddesses,* New Delhi: Abhinav Publications, 2003.

Washburn, Gordon B., «The John D. Rockefeller III Oriental Collections», in: *Artnews,* Bd. 69, Nr. 5, September 1970, S. 46.

Witzel, Michael, *Das alte Indien,* München: C. H. Beck, 2003.

Wood, Michel, «The Temple at Tiruvalangadu and the Myth of the Dance Competition», in: Nanda und Michell 2004, S. 107–117.

Würfel, Alfred, «Alice Boner: Leben und Werk», in: Boner 1984, S. 159–164.

Wössner, Ulrich, *Zur Deutung des Göttertanzes in Indien und Griechenland,* Arbeitsmaterialien zur Religionsgeschichte, Bd. 7, Köln: E. J. Brill, 1981.

Wyss-Giacosa, Paola von, *Religionsbilder der frühen Aufklärung: Bernard Picart Tafeln für die Cérémonies et Coutumes religieuses de tous les Peuples du Monde,* Wabern: Benteli, 2006.

Wyss-Giacosa, Paola von, «Piktorale Ethnographie Asiens im 17. und 18. Jahrhundert», in: *Bulletin der Schweizerischen Gesellschaft zur Erforschung des 18. Jahrhunderts,* 2007, Nr. 31, S. 13 ff.

Younger, Paul, *The Home of Dancing Shivan: The Traditions of the Hindu Temple in Citamparam,* New York: Oxford University Press, 1995.

Younger, Paul, «Ritual Life of the Nataraja Temple», in: Nanda unc Michell 2004, S. 24–33.

Zelliot, Eleanor und Rohini Mokashi-Punekar (Hrsg.), *Untouchable Saints: An Indian Phenomenon,* New Delhi: Manohar, 2005.

Zimmer, Heinrich, *Indische Mythen und Symbole, Vishnu, Shiva und das Rad der Wiedergeburten,* Köln: Diederichs, 1984.

Zimmermann, Eva, Jorrit Britschgi und Giulia Renata Maria Bellentani, *Ein edler Pantheismus: Hermann Hesse und die hinduistische Götterwelt,* Montagnola: Fondazione Hermann Hesse, 2008.

Ziegenbalg, Bartolomäus, *Genealogie der Malabarischen Götter,* Edition der Originalfassung von 1713 mit Einleitung, Analyse und Glossar von Daniel Jeyaraj, Neue Hallesche Berichte, Bd. 3, Halle: Verlag der Franckeschen Stiftungen zu Halle, 2003.

Zvelebil, Kamil V., «Mythologie der Tamilen und anderer drawidisch sprechender Völker», in: H. W. Haussig (Hrsg.), *Wörterbuch der Mythologie,* Stuttgart: Klett-Cota, 1982, S. 873, S. 907–912.

Zvelebil, K. V., *Ananda Tandava of Siva Safanrittamurti: The Development of Atavallan Kuttapperumanatikal in the South Indian Textual and Iconographic Tradition,* Madras: Institute of Asian Studies, 1985.

Zvelebil, Kamil V., *The Smile of Murugan: On Tamil Literature of South India,* Leiden: E. J. Brill, 1973.

Zvelebil, Kamil V., *Tamil Literature,* Leiden: E. J. Brill, 1975.